El Vagabundo de los Aires

Didier Favre

Traducción
Mª Carmen Nicolau Molina

Editorial Perfils

Editorial Perfils
c/ Cabezas s/n - 25691-Àger (Lleida)
Tel. (973) 242160 - (973) 455220
Fax. (973) 221670 - (973) 455238
ISBN 84-87695-07-8
Título: *El Vagabundo de los Aires.*
Título original: *Le Vagabond des Airs.*
Primera edición: diciembre 1.993

Impreso por Jesma S.A.
Depósito Legal: L - 1636 - 1.993

A mi madre, que me dio alas.
A Christiane, que me prestó su pluma.

Sospel, 21 de junio 1992

Llueve sobre Sospel. No tengo esperanza alguna de volar hoy. ¿Mañana quizá? Probablemente pasado mañana, el mal tiempo nunca dura demasiado en la Costa Azul. He de darme ánimos, a pesar del pesimismo ambiental. La gente y la naturaleza tienen aspecto sombrío.

Un último gesto de adiós y el Toyota blanco desaparece definitivamente. Me quedo solo, con mi escaso equipaje y un ala delta plegada dentro de su funda.

El azar quiso que ayer estuviese en contacto telefónico con el rey de los hombres del tiempo:

- "¿Mal tiempo? En los Alpes Marítimos tiene para cinco días... por lo menos. Va a ser duro..."

Seguro que se equivoca. Encontraré, entre dos chaparrones, un rayito de sol que me permita salir al aire.

¡El sol!

Sin él, no soy nada; un reptil entre los reptiles. Una sonrisa suya y se produce la metamorfosis, el paquidermo se convierte en libélula, la crisálida en mariposa, el tubo inerte en ala voladora. Él es el que, desde esta miserable loma de cuatrocientos metros de altura, me propulsará hacia el cielo y me abrirá de par en par la puerta de los Alpes.

Nadie es igual ante él. Cuando lanza sus rayos, el suelo

absorbe el calor y lo restituye de manera diferente según lo cubran árboles, hierba o rocas. El bosque, avaro, lo almacena, mientras que la roca lo devuelve generosamente bajo la forma de burbujas de aire caliente. Estas burbujas térmicas ascienden, se aceleran y se dilatan, aceptando a bordo a todo pasajero que desee elevarse hacia el cielo. Sin las ascendencias, las águilas, los buitres o los quebrantahuesos no podrían salir en busca de alimento y los vuelos migratorios no existirían.

Para la mayoría de los mortales, un piloto de vuelo libre, sea de ala delta o de parapente, despega de la cima de una montaña y aterriza a sus pies tras unos minutos de vuelo de planeo. Me encanta sorprenderles, demostrarles con hechos lo que se puede hacer con el sol, un buen trozo de tela y algunos tubos, sin motor, sin hélice, suavemente y con poesía.

- "¿Salta en ala delta?"
- "No salto, ¡vuelo!"

Mi proyecto de atravesar los Alpes ha suscitado más incredulidad que admiración, incluso entre los iniciados. Volar, pase, pero viajar volando, durante días, sin asistencia mecánica, parece descabellado.

Oyendo esta lluvia que cae sobre mi paraguas azul-blanco-rosa de catorce metros cuadrados, me asaltan dudas que rechazo al instante. Soy, retomando la expresión sarcástica de un amigo, un "hombre de certezas" que la exageración del proyecto no consigue arañar. La cosa es teóricamente posible; en mi imaginación ya se ha cumplido. Sólo queda un simple formalismo: realizarla.

Llueve pero soy feliz, visceralmente optimista.

Gracias a esta lluvia, puedo entrar en el viaje con suavidad, dejar las prisas, valorar el tiempo que pasa, escribir en paz, preparar meticulosamente el equipaje.

Se trata de no olvidar nada esencial. Como maleta no tengo más que un arnés de vuelo y sus pocos bolsillos. El volumen disponible equivale a dos cajas de zapatos de señora. Poco para guardar ropa, alimento, útiles, piezas de recambio, mapas topográficos, libro, prismáticos, cantimploras y cuaderno para las anotaciones durante el viaje. Lo esencial concentrado en seis o siete kilos. Añadidos a un ala de treinta kilos, el material de fotografía, el paracaídas de emergencia y dos armónicas, el total raya los 50 kilos. Una mole en tierra, paja en vuelo.

Privilegio del pionero, he definido yo mismo las reglas y los principios del vuelo vivac. Consiste en viajar con tu ala y tus piernas como único medio de locomoción. Excluido el coche, los teleféricos, la asistencia presta a intervenir a la primera dificultad. Tengo que arreglármelas solo, aprovechando simplemente la energía solar que se expresa en ascendencias térmicas y las oportunidades de los Alpes para vivir. Al ponerse el sol, aterrizaré lo más alto posible, en montaña, para así poder partir de nuevo al día siguiente. A falta de un refugio o una cabaña de pastor, pasaré la noche a la intemperie.

En caso de accidente, dispongo de una baliza de trescientos gramos preparada para comunicar con los satélites al retirar la anilla. Llegado el caso, debería desencadenarse un proceso de salvamento del que ignoro absolutamente todo. Reconforta creer un poco en ello, y para los míos es tranquilizador.

Hubiera deseado despegar de Roquebrune, que domina Mónaco y el mar, pero en verano está cerrado. La playa, único lugar de aterrizaje posible, se devuelve a los veraneantes.

En Sospel, a quince kilómetros a vuelo de pájaro del Principado, el vuelo está prohibido. Pilotos de vuelo libre de todas partes de Europa afluían con su maná financiero, hasta el día en que un triste lío local significó la condena de la mejor zona de Francia.

Hoy, la seductora aldea medieval se muere. Los comerciantes lloran y emigran, los habitantes se desconsuelan, los políticos se pelean. La agonía se refleja en las numerosas y pintorescas fuentes, ataviadas todas con una pancarta de chapa sobre la cual está escrito, con mano temblorosa, "agua no potable". ¿Malicia de los hoteleros o triste realidad? Para salir de dudas, bebo; basta para apagar la sed.

La prohibición de despegar del Mont Agaisen acentúa ese estado de ánimo, de ahí mi infracción y la esperanza de que pronto florezcan nuevas pancartas:

"Zona despegable y agua potable"

Hay viento, estoy contento.

Ráfagas de más de 50 Km/h clavan el ala al suelo y me dan tiempo para disfrutar. Hace ya veinte años que lo necesito.

El tiempo, Rose lo ve pasar desde hace ochenta años en su aldea de La Puella, al pie del Agaisen. Sus cuatro gallinas y sus ocho gatos se dispersan por el patiecillo, entre los iris, los alhelíes, las primaveras y las amapolas.

Para impedir el acceso a los jabalíes, atraídos por el huerto que tanto amor pone Rose en cultivar, ha construido cercas con ramas y telas de plástico unidas por alambres.

Su jardín secreto es la escritura y la poesía, que declama en prosa, en verso, en "patois", en francés. Tierna hacia la naturaleza, tiene duras palabras para el género humano. Insólito y entrañable personaje, solitaria en un universo coloreado de flores y árboles que le inspiran refranes con los que adorna la conversación.

*"Faïé de ben a Bertrand, quou te reindé en cagan"**

Su risa, acentuada por las arrugas, resalta un hablar algo teatral que me invita a olvidar la fachada y a acercarme. Rose, a imagen de sus versos, se entrega con facilidad, feliz de tener un auditorio.

Próximamente tiene una cita con Dios y me habla de ello.

- "El temor de Dios es el principio de la sabiduría".
- "Dios es lento, paga tarde pero justo".

Le hablo de mis dudas.

- "La fe –me confiesa– es creer sin ver. Ser creyente tiene su mérito."

Lanza una última mirada de desaprobación a ese mundo agitado que le rodea.

* Refrán en *patois.* Para que rimase en castellano podría traducirse como: "Haz el bien a Fernando que te lo devolverá cagando".

- "La gente debería dejar de hacer el imbécil bajo el pretexto del progreso. Todo se torna demasiado complicado. Era necesaria una evolución, pero ahora la sociedad camina hacia atrás".

Para meter las gallinas en el gallinero Rose imita el ladrido del perro; después se levanta y remonta ágilmente el pequeño sendero que lleva a los olivos, adentrándose entre los manzanos, los perales y los albaricoques. En un abrir y cerrar de ojos, saca del bolsillo su inseparable Opinel* para cortar y tenderme, con la misma presteza, una rama de olivo. Conoce mis proyectos celestes que comienzan unos metros por encima de su tejado. Ir a la luna, tomar una nave espacial y ponerse en órbita, sabe que es posible, pero abandonar la montaña por los aires, como los pájaros, le desborda.

- "Con el tiempo comprenderé". Me confiesa a modo de conclusión.

Un vistazo al cielo gris me anima a dar un paseo entre los arbustos. La cena me es servida sobre un cerezo. Para el postre, paso a la higuera, unos metros más lejos.

Cerca del riachuelo, una serpiente se desliza entre mis piernas y me entra el canguelo. ¿Una víbora? No, una culebra que se oculta en la hierba alta.

La única inscripción, *Actions Ecologiques*, que llevo en mi chaleco, da motivo a algunos encuentros instructivos. Jean-Marie es guarda monitor del Parque Nacional del Mercantour. Paralelamente a su trabajo, hace inventario y fotogra-

* *Opinel* es una marca de navajas muy apreciadas en Francia.

fía las treinta y cuatro especies diferentes de orquídeas censadas en los Alpes Marítimos, eso cuando no observa las águilas, numerosas en el Parque. No se extraña de que aguarde el sol para poder despegar.

- "Las águilas hacen como tú. Para volar y alimentarse buscan las ascendencias térmicas. Sin ellas se ven obligadas a batir las alas, y esa energía no se ve compensada por el alimento que encuentran."

Con el tiempo que hace, los pobres animales deben de tener un hambre de mil demonios.

La méteo se mantiene sombría, eso está bien. Entro poquito a poco en el viaje, aprovechando todavía el confort de un hotel en Sospel.

El cielo está alborotado, importunado por nubes demasiado pesadas que se desploman sobre laderas demasiado verdes hasta la altura del bosque. Mucho más abajo, nubes en jirones grises e indisciplinados peinan las copas de los árboles. Dos capas de nubes se han formado, por encima y por debajo de mí. La naturaleza en llanto me condena a la inmovilidad.

El ala, empapada en su funda negra recubierta de gravilla y acículas, parece pegada al suelo para siempre. Me cuesta imaginar que de este bulto de seis metros de largo pueda salir ese bello pájaro que debe llevarme al aire para atravesar los Alpes. Solo con ella en el Mont Agaisen, empiezo a tener dudas que los malos recuerdos están lejos de borrar. El camino del vuelo vivac está sembrado de emboscadas.

Lo he experimentado y lo he pagado caro.
En 1986, crash en las alturas del Grimsel. Ala destrozada. Todavía no dominaba la técnica del aterrizaje en montaña.
En 1989, luxación de hombro en las alturas de Niza. El último vivac fue en el hospital. Evalué mal la fuerza del viento de mar sobre un acantilado.
En 1990, dos desaprensivos me roban parte del material en Briançon. Fin del viaje.
En 1991, una tormenta nocturna destroza mi vela en la frontera austro-italiana. Irreparable.
Esta sucesión de incidentes no se debió únicamente a errores técnicos, a la casualidad o a la mala suerte. Con la perspectiva del tiempo he comprendido.
El enemigo más temible del vuelo vivac está en mí. Se camufla bajo rasgos de carácter forjados en actividades deportivas y sobre todo profesionales. Durante veinte años, en un stress cotidiano, he tenido que luchar, demostrar agresividad, utilizar los codos, ganar para no perder; mi vida era una competición.
Ahí se esconde el enemigo.
Hoy sé que si emprendo esta aventura con un cronómetro y la cabeza llena de kilómetros, no tengo ninguna posibilidad. Para llegar hasta el final del viaje, debo encontrar una armonía interior; aprender a administrar lo aleatorio y el tiempo, a vivir a su capricho.
Librarse de los imperativos del tiempo es convertirse en un vagabundo. Ése es el estado interior que debo conseguir para expulsar definitivamente al demonio de la competi-

ción. Lo que es ahora, enemigo y amigo se codean.

El ala delta, en todo esto, ya no es una finalidad en sí misma sino un medio, el vehículo de un arte de vivir. Con ella, el vuelo vivac ya no se limita al placer del vuelo sino a todo lo que le rodea, la vida.

Para volar más alto y más lejos, en catorce años he perdido diez kilos de grasa, he dejado el tabaco, renunciado a los aperitivos y a los cafés diarios, sin por ello convertirme en asceta.

El vuelo libre fue mi tutor a lo largo de mi carrera profesional. De un torpón ha hecho un deportista. Me ha servido de refugio permanente. Desde lo alto del cielo, los obstáculos más grandes siguen estando a ras de suelo; sobrevolarlos es fácil. Gracias a él he resistido.

El vuelo libre me ha permitido sobrevivir. Hoy, el vuelo vivac me enseña a vivir.

Llueve.

La tormenta hace estragos, la Costa Azul está clasificada como zona siniestrada. La lluvia perdura desde hace un mes. Tan sólo hace cuatro días que contraría mis planes, no me atrevo a quejarme.

En los huertos de los alrededores, cerezas, higos y albaricoques abandonados aguardan una hipotética recolección. Infringiendo la propiedad privada pero rindiendo homenaje a la naturaleza, como a pesar de las barreras a saltar. Sería una pena dejar semejante festín a merced de los gusanos y la podredumbre.

En un bar, un tipo me espeta:

- "¿Qué es eso de *Actions Ecologiques*, en su chaleco?"
- "Una agrupación de gente de acción que se moja."

Contaba con que una organización ecologista pudiese aprovechar el impacto de esta loca travesía en los medios de comunicación. En el último momento, no tomándome muy en serio, prefirió renunciar. *Actions Ecologiques* nació de este abandono. El nombre no es más que una etiqueta destinada a encabezar algunas acciones en curso. Me ofrecía también la oportunidad de hacer tururú a algunos integristas, esos khmers verdes que vampirizan la palabra ecología.

Entre esas acciones, una de ellas me interesa especialmente, la protección de los pastores. Son los jardineros y los guardianes de nuestros Alpes. Sin ellos, nuestras montañas estarían yermas, invadidas por la maleza, las ciénagas y la broza. Los pastores son el símbolo de la sencillez, un ejemplo a seguir para una sociedad sofisticada que ha perdido el dominio de sí misma. Sin embargo, generalmente se les considera con desprecio, su supervivencia económica pende de un hilo, la sociedad les margina, olvidados.

Sin la presencia y la amistad de los pastores, el vuelo vivac no sería lo que es. Apoyándoles, no hago más que pagar con la misma moneda a una comunidad que jamás habla de dinero.

El año pasado, Gisèle, una pastora del puerto de Vars, me dijo como despedida:

- "Tú que escribes, di a esos excursionistas, a esos montañeros, a todos los que frecuentan la montaña, que una sonrisa, un saludo, una palabra amable hace mucho bien al pastor que se cruzan."

*

* *

¿Despegaré o no despegaré?

Un rayo de sol se cuela entre el gris. Con los ojos, lo atrapo al paso y subo hasta el cielo que asoma tras nubes demasiado gordas, demasiado pesadas, demasiado numerosas para dejarse manipular. Están apretadas unas contra otras, hasta confundirse, formando un gran mar suspendido e iluminado por algunos islotes azules.

Hará falta mucha suerte hoy para que el sol triunfe, para que el cielo se torne azul con algunos islotes blancos con el bonito nombre de cúmulos.

Tengo un resquicio de esperanza. Me preparo.

A duras penas coloco las provisiones en los pocos bolsillos disponibles del arnés: pan, salchichón, queso, manzanas, galletas, chocolate, tabletas energéticas, frutos secos, sin olvidar la indispensable carne seca del Valais, guardada en raciones de supervivencia. Lo suficiente para pasar tres días sin demasiadas privaciones. Este arnés de múltiples protuberancias, marcadas por cremalleras tensas a rebentar, se coloca como un abrigo sin mangas. Va equipado con un mosquetón dorsal, y su bolsillo ventral contiene un paracaídas de emergencia.

Una vez vestido, parezco un canguro barrigón.

Deambulo observando esas nubes demasiado bajas que el sol, por fin de vuelta, no consigue levantar.

¿Qué hacer? Enganchado a mi ala, listo para el despegue, sopeso los pro y los contra, los contra y los pro, tergiverso, desmenuzo el contra, luego el pro, para al final encontrar únicamente pretextos para no decidir nada.

Para irme hacia arriba, tengo que encontrar imperativamente ascendencias térmicas. Sin ellas, estaría condenado a un aterrizaje forzoso –lo que llamamos una "cagada"– al pie del Agaisen, y obligado a subir a pie, el primer viaje con el ala de 30 Kg a la espalda, el segundo con el resto del material, lo que hace un total de otros veinte kilos.

El peso de la inactividad puede más que la decisión racional, despego.

Bastan cinco pasos. El ala se levanta y me lleva con ella. Con un gesto que ha pasado a ser natural, basculo de la vertical a la horizontal, meto las piernas en el interior del arnés y cierro la cremallera con un gesto rápido, para ofrecer el mínimo de resistencia posible a este aire en el que ahora me deslizo alegremente.

El canguro se ha metamorfoseado en ave migratoria.

Todo es silencio y calma. Demasiada calma. No busco la tranquilidad de un vuelo de planeo, sino la inestabilidad térmica que me permitirá elevarme en el cielo.

A pesar de mis esfuerzos, pierdo altura. Desciendo inexorablemente. Abajo, la casa de Rose se acerca hasta mostrarme las lechugas de su jardín. Rose está allí, cavando absorta. Grito, silbo, imploro, ella no reacciona. No espera a nadie por el cielo.

De pronto, el ala se estremece. Su punta izquierda se levanta indicándome el núcleo de una débil térmica. La rodeo. Mi variómetro emite un tímido "bip bip". Aguanto la respiración, concentrado en esta burbuja de aire invisible que, pacientemente, intento amansar.

Diez metros, veinte metros, cincuenta metros, el variómetro canta cada vez con más alegría, estoy subiendo. Abajo, azada y labriega desaparecen. Al fin puedo relajarme, recobrar una respiración regular y agradecer el soplar del aire en mi rostro.

A la altura del lugar de despegue, la térmica se agota. Acecho una nueva ascendencia susceptible de otorgarme unos cientos de metros suplementarios. Al cabo de una hora de cansada lucha, opto por un aterrizaje en la cumbre. El terreno no se presta demasiado pero estoy dispuesto a asumir ciertos riesgos para evitar un doble ascenso a pie. Los pinos, los escaramujos y las piedras invaden la inclinada ladera, dejando sólo una pequeña zona despejada, en la que fijo toda mi atención. Extrañas sensaciones enturbian mi concentración. Tengo miedo, no del aterrizaje sino del ridículo.

"Salió para atravesar los Alpes en ala delta y se estrella en el kilómetro cero."

¡Bonito titular para un periódico!

En cada pasada por encima del terreno, me encuentro demasiado alto, demasiado bajo, demasiado a la izquierda, demasiado a la derecha, sin saber diferenciar lo racional de lo irracional.

Mi cabeza hierve, hay que bajar la presión como sea, dominar la situación, olvidar la enorme apuesta para concentrarme en este banal desafío que puede comprometerlo todo.

Hago frente a la montaña, impasible y ventosa. Es un asunto entre ella y yo, sin testigos, doble o nada. Puedo perderlo todo.

Algunos ejercicios de respiración airean mi cabeza y me aportan un poco de serenidad.

Dirijo el ala cara a la pendiente, la pongo a toda velocidad y desciendo en picado, como el águila sobre su presa, sobre el último arbusto que supone un obstáculo. A pocos metros del suelo, curvo progresivamente la trayectoria para rozar el arbusto y lamer la pendiente a lo largo de una decena de metros. Al final de la carrera, detengo el ala empujando el triángulo a tope y hago una reverencia a dos rosales silvestres que me esperaban con las espinas fuera. Suavemente, mis pies tocan el suelo. Heme de nuevo en la casilla de salida, intacto.

Regreso a Sospel por el ya familiar sendero y me digo:

- "¿Quieres atravesar los Alpes y ni siquiera consigues abandonar esta colina? El pecado del orgullo… ¿te suena?… ¡Silencio! Mañana despego".

Mañana.

*

* *

El aire marino, condensado y grisáceo babea sobre el puerto de Castillon. Hacia Tende, en la frontera italiana, la tormenta se ensaña. Detrás, en los Alpes, las nubes y la niebla se disputan las cimas. Batallan hasta el fondo de los valles. La naturaleza está muy pálida; el gris se ha hecho con el poder y se insinúa hasta en mi cabeza.
Es el octavo día de diluvio. La tierra y los bosques rebosan agua; el aire está saturado de humedad. Basta un rayo de sol para que la condensación provoque una nueva lluvia. Es un ciclo infernal.
La salida no será hoy.
Inevitablemente, por primera vez, descubro el encanto de los días sin plazos ni obligaciones. Un arroyuelo calma la sed; un ciruelo, el hambre; la montaña, mi necesidad de soledad; el pueblo, la de contacto.
Están previstos dos días de buen tiempo antes de una

nueva perturbación. El cielo confirma los pronósticos televisados. Los vientos de altura se han calmado, la luna se ha separado de su halo, las golondrinas han regresado a las alturas.

Mañana, seguro.

*

* *

Al amanecer, el cielo está cubierto. Me despierto sin prisas.

A las diez, sin avisar, el sol comienza a brillar de lo lindo y me empuja a subir de cuatro en cuatro los escalones del camino, hasta mi ala.

Sin esperar, despego. ¡Al fin!

Me harán falta unos segundos para maldecir esta impaciencia. En realidad sólo mis ilusiones han salido volando.

Intento evitar desesperadamente tener que subir a pie, me pego a la ladera, soy un yoyó entre el techo de Rose que se esconde y la cima del Agaisen que se muestra. Todo huye, incluso el paisaje se diluye en las brumas.

Un gran grillo va de pasajero clandestino en mi vela. Con las antenas dobladas por la presión del aire, se mantiene milagrosamente en la parte lisa del borde de ataque y observa mis maniobras petrificado.

Bajo nosotros, la desolación. Los olivos, todavía en pie, están muertos, helados. Tan sólo quedan los troncos negros, afilados como bayonetas. El bosque está enfermo; numerosos pinos moribundos han mudado al color rojizo, otros están en vías de mutación. Al norte, en las alturas, las ruinas de una construcción militar de cuatro pisos constituían mi modesto objetivo del día. Y aún es demasiado ambicioso, estancado como estoy a media ladera me contentaría, simplemente, con poder alcanzar el despegue. Unos cientos de metros más abajo me espera un enorme prado en el que se levanta un curioso palomar barroco. Por un instante, pienso en aterrizar, pero sólo hay una salida honrosa a esta situación. Por arriba.

El grillo ya no viene de viaje, sin duda se lo ha llevado una ráfaga. No, mirando con más atención veo asomar dos antenas que se desplazan. ¡Qué tipo! Se pasea.

Tras dos horas y media de vuelo, la camisa húmeda por el sudor, alcanzo al fin la altura necesaria para intentar un aterrizaje, en el mismo terreno que anteayer y con lo mismo en juego. De perdidos al río.

Respiración, concentración, velocidad. Pico y paso.

Heme de nuevo en el punto de partida, entre los tapaculos y el espliego, la decepción y la alegría.

El grillo no se ha rendido.

*

* *

La méteo difunde su pesimismo. Para la semana próxima se anuncian lluvias y tormentas, precedidas de una pequeña esperanza en forma de rayo de sol previsto para mañana. A la entrada del pueblo, cerca de la escuela, sudando después de bajar del Agaisen con un calor sofocante, me encuentro frente a frente con un especimen humano cuya existencia había intentado olvidar. Apresurado, preocupado, absorto, sale de un BMW azul metalizado, nuevo, flamante, cuyas letras acabará de pagar dentro de tres o cuatro años. Hasta entonces, apenca.

Ese hombre del maletín era yo.

*

* *

Por la mañana el cielo permanece gris, impermeable al sol. A mediodía se suceden finas lluvias.
¡Diez días! Nunca hubiera imaginado que pudiese aguantar durante diez días. Y lo que es más, con agrado. El vagabundo está convirtiendo al competidor y la metamorfosis se halla en su fase final.
Encaramado a la colina, al cobijo de mi ala, me paseo con los prismáticos por las calles de Sospel.
¡El hotel de Michel! El primero del pueblo. Es inútil empujar la puerta de la entrada, se abre sola. Las luces se

encienden automáticamente y una tarjeta magnética sustituye a las cerraduras de llave. El patrón ha picado el cebo de la modernidad, pero el proveedor de los sistemas electrónicos se ha hundido. A falta de mantenimiento, nada funciona. Michel ya no puede echar marcha atrás, cuestión de dinero y amor propio. A la tiranía de la electrónica se ha unido la de los banqueros, acreedores, contables y clientes descontentos. Cuesta caro ahorrar un poco de energía para abrir una puerta, encender las luces y girar una llave.

Un movimiento de cabeza y los prismáticos me llevan cerca del ayuntamiento. En la puerta de un restaurante, un cartel sin comentarios muestra el humor del dueño: "Cerrado".

Antaño, el demonio de la mediana edad empujó a Jean, ingeniero modelo, a abandonar París, trabajo, mujer e hijos. A los cuarenta años izaba las velas. De camino, embarcó a una bonita novia y echó el ancla en Sospel. Hubiera podido ser en Auvergne, en Bretaña o en otra parte; el azar y la oportunidad de llevar un hotel le desembarcaron en esta isla desierta.

Pasada la euforia, se encontró en una aldea cuyo aislamiento deprime a su compañera.

Nadie se interesa por esta Madame Bovary postrada frente al televisor, último tragaluz al exterior.

El viento de alta mar ha dejado de soplar; Jean está varado, mantenerse a flote le cuesta todas sus fuerzas. Rema para no hundirse.

Más lejos, en la plaza empedrada de la iglesia, entre el tapicero y el panadero, una insignia insólita "T +" domina un misterioso soportal. A la sombra de dos cruces barrocas y de un buda, en el perfume del incienso, Dominique descansa de sus viajes. Después de Méjico, India, Japón, un vago apego familiar le ha llevado a Sospel. Las ondas negativas de las fortificaciones circundantes han estado a punto de echarla, pero ella ha encontrado la energía para superarlas.

"T +", como "té más" o "tú eres más"*, resume la filosofía del lugar donde los bebedores de pastís y tintorro desentonan. El ambiente es tranquilo, la música relajante, las discusiones metafísicas y las borracheras místicas.

Al otro lado del ancestral puente sobre el Bévéra, en la plaza empedrada, un floristo viene y va. Bernard ha preferido esta tienda de flores a una dorada jubilación en Bélgica. Para distraerse y asegurar un futuro profesional a su hija, ha pasado de la construcción –origen de su confortable peculio– a los junquillos, esperando los crisantemos. El negocio funciona estupendamente, como el motor de su Mercedes, ostensiblemente aparcado delante de la tienda. Ya se queja de tener demasiado trabajo.

Su hija se desarrolla como una rosa bien dotada.

Guardo los prismáticos, compruebo el estado mecánico de mi ala y dejo pasar el tiempo recorriendo algunos capítulos, muy tristes, de *Courrier Sud* de Saint-Exupéry.

* En francés la pronunciación de "T+" tanto puede significar *thé plus* (té más) como *t'es plus* (tú eres más).

El cielo está a punto de echarse a llorar.

De la observación de la lejanía paso a la de la vida que bulle alrededor de mi ala.

Un enorme lagarto verde holgazanea y transforma el búnker vecino en solarium. Cada vez que me acerco, huye panza abajo.

Una araña ocupa la base de un arbusto. Su tela está tejida hábilmente, trampa mortal para insectos, peatones o volátiles. En su agujero, aguarda a una presa que no se hace esperar. Un moscardón se enreda en los hilos diabólicos. La suerte está echada. Se acerca, le inocula su mortal veneno y se lo come.

No asisto al festín, mi mirada se va atraída por un insecto alado con el aspecto y el comportamiento de una abeja pero de colores diferentes. El bicho liba de manera extraña. Con un jaleo de mil demonios, teniendo en cuenta su pequeño tamaño; realiza vuelo estacionario sobre las campánulas, sin tocar la corola. Durante unos segundos, su trompa se hunde en el corazón de la flor para extraer el néctar. Con la rapidez del rayo, pasa a la flor vecina y luego a la siguiente a un ritmo infernal. ¿Será, con su vestido a rayas grises y negras, una abeja condenada a trabajos forzados, privada de aterrizajes inútiles y de descansos en las corolas?

Otros signos de interrogación gravitan a mi alrededor. Según mis conocimientos, la opulenta reina de las abejas se hace fecundar, de una vez por todas, por un montón de zánganos en una loca noche de amor. Eso en la discreción de las alcobas de la colmena. Los machos reproductores, una vez realizado el trabajo, son puestos de patitas en la calle por las obreras.

Una contradicción evidente con el espectáculo que se desarrolla ante mí. Dos falsas abejas, verdaderos hymenópteros, a menos que se trate de zánganos pero verdaderos "homos", juguetean y copulan sin vergüenza en los aires. Lo sorprendente es que ellas, o ellos, lo hacen en vuelo estacionario; está de moda, no cabe duda.
En cuanto me acerco, la pareja se desplaza, siempre uno encima del otro, y se detiene unos metros más allá para continuar con sus elevadas obras. ¡Magnífica gimnasia!

Más prosaica, una mariquita cabalga a su congénere. Mientras el coleóptero dominante se mueve con rítmicas sacudidas que no se prestan a ningún equívoco, el dominado permanece impasible y se contenta con apartar muy ligeramente sus élitros. ¡Clásico!

De un agujero en la tierra, aparentemente desocupado, emerge una sarta de hormigas negras de tamaño considerable. De entre la comitiva, una buena decena de ellas son dos veces más grandes y van equipadas de largas y diáfanas alas. Deben rondar los dos centímetros. Las terrícolas no aladas permanecen prudentemente en el borde del agujero, mientras las otras, cada una por su lado, trepan por las briznas de las hierbas circundantes. Llegadas al extremo, se dejan caer dando algunos aletazos improductivos. Infatigables, vuelven a empezar y el mismo fracaso, hasta que al fin una de ellas consigue salir volando.

Comprendo. Todo se aclara.

Buscan una rampa de lanzamiento suficientemente elevada para tener tiempo de desplegar y batir las alas. C.Q.D. Tras un breve salto de trampolín de unos centímetros, a la imagen de un ala delta dejando la rampa, el aprendiz de hormiga voladora bate sus alas con todas sus fuerzas y se aleja en el aire hasta perderse de vista, dejando en el mismo lugar a sus arrastradas hermanas. Ayudada por las térmicas y los vientos, recorrerá kilómetros antes de posarse cerca de un agujero en la tierra, de donde saldrá, el verano próximo, una nueva colonia. Con mi lápiz, ayudo a las hormigas voladoras a salir al aire.

¡Si al menos el sol se dignase ayudarme con sus rayos!

Permanezco clavado al suelo mientras todo a mi alrededor vuela, hasta las letras del abecedario parecen escaparse de las líneas de mi diario.

Mañana será la mía.

*

*   *

El sol al fin está dispuesto a celebrar un bonito cumpleaños. Hace exactamente un año, despegaba de Chamonix a la conquista del Cap 444.
¡Maravilloso regalo, hoy vuelo!

Mis sentidos están alerta para elegir el momento oportuno del despegue. Se trata de atrapar la buena térmica. Invisible, asciende por la pendiente de manera regular. Su paso se manifiesta en el estremecimiento de los matorrales, los pinos y la hierba, en las caricias del aire tibio en mi rostro, en la agitación de las golondrinas. He colgado en los árboles y en los cables de mi ala cintas, con el bonito nombre de "cataviento", que me indican la dirección y la fuerza del viento.
Observo el cúmulo que se forma encima de mi cabeza y que debe su existencia a la profusión de burbujas de aire ascendente. Lo veo engordar. El ciclo térmico está bien establecido.
Unos movimientos de calentamiento, algunos minutos de concentración me permiten entrar, con el pensamiento, en el vuelo. Tras echar un último vistazo a los agitados cataviento, me lanzo. Un, dos, tres pasos, me deslizo en el aire, se produce la magia.
Con calma, el ala bien plana, giro en la ascendencia. Las golondrinas están ahí, dando vueltas en todas direcciones. Ascendemos. Diez metros, cien metros, quinientos metros, mil metros. Estoy en el techo, en la base misma del cúmulo. Por gusto, me doy un baño en la humedad de la nube.

Sus barbas me envuelven, el paisaje ya no es más que una pantalla blanca; me alejo de ella y surgen montañas por todas partes, el puerto de Castillon se postra y me rinde el Mediterráneo. La cima del Agaisen se aplana, Sospel encoge. La casa de Rose y el palomar no son más que puntos negros en el verdor. ¡Estoy volando!

Doy un rodeo por el sur para fotografiar el mar y pongo rumbo al norte, dirección los Alpes.

Después de tantos días de abundantes lluvias, toda la región está empapada de agua. La humedad pega las nubes a los bosques. El puerto de Turini, que alcanzo después de tres cuartos de hora de vuelo, está cubierto. Imposible pasar.

En este espeso bosque tan sólo localizo una pendiente inclinada e irregular susceptible de servir de pista de aterrizaje. Únicamente tiene un pequeño defecto, se halla por encima de mi cabeza, inaccesible sin un empujoncito providencial.

A pocos metros de allí, un corzo intrigado observa mis tejemanejes. Cansado de mis incesantes idas y venidas, regresa al bosque.

Rozo los pinos con la esperanza de encontrar la pequeña burbuja salvadora y aguardo sobre un montecillo expuesto al viento del Bévéra. Tras interminables minutos, un potente rayo de sol me otorga los cuarenta metros de ascenso indispensables.

Llegado al fin a la altura del terreno, me poso con suavidad.

Avanzo por un ancho camino, bordeado de cítisos en plena floración, hasta el puerto de Turini. Allí, unos pastores me invitan a su casa, en el Mont Authion. Llego a la casa de noche, tras haberme metido en el cuerpo dos viajes de quinientos metros de desnivel con el material de vuelo a la espalda.

Perdido en la oscuridad y la niebla, encuentro la cabaña gracias a los ladridos del perro en respuesta a mis llamadas desesperadas.

La lluvia que empieza a caer disipa mis escrúpulos por despertar a mis anfitriones tan tarde. En el suelo de la habitación común me aguarda un colchón. La sencilla felicidad. ¡Gracias pastores!

*

* *

Las seis, hora del ordeño.

Patrick conduce las cabras, salvajes y recalcitrantes, hacia una cámara improvisada en la que Pierre las atrapa sin miramientos. Una a una, desfilan cien tetas. El cubo se llena; yo lo vacío regularmente en una gran tinaja de cincuenta litros.

La humedad transforma esta rutina en agobio. Barro y boñigas cubren el suelo y las paredes del establo; el pelo de las cabras también está impregnado.

El ánimo de los hombres y los animales se resiente.

Tras un mes de lluvias, el sol de ayer no ha secado nada, y hoy, de nuevo, llueve.

En la cabaña, Christine prepara los "chapati" del desayuno, hechos con harina, huevos, levadura, sal y agua. En la esquina del fondo, un fuego permanente arde a ras de suelo. El humo trepa libremente a lo largo de las grandes piedras ennegrecidas y se escapa por un hábil orificio entre la pared y el techo.

La ausencia de Armand, a quien conocí ayer en el bar del puerto, se nota. Es el jefe, el que sabe y comparte sus conocimientos al tiempo que distribuye las tareas de cada cual. Está preparando la "turgaï", la subida de las cabras que no se ordeñan a las altas cimas, donde pasarán el verano.

Patrick, a solas conmigo, elabora su primer queso con los ochenta litros de leche de los dos últimos ordeños. Tengo el gran privilegio de ayudarle.

El fuego crepita bajo un caldero en el que vertemos la leche. A la temperatura de 37°, se retira el caldero del fuego, sin esfuerzos, gracias a una horca basculante. Al cabo de una hora, activada por la coagulación, la leche cuaja y toma consistencia. Con ayuda de la "batouille", una punta de abeto con las ramas de arriba atadas, Patrick mueve y remueve. Después se remanga y sumerge las manos en la pasta blanca y blanda. Lenta y meticulosamente, a modo de ritual, hace con la pasta una gran bola y la envuelve en una gran servilleta. El valioso contenido se deja escurrir y luego se coloca en un cilindro agujereado que le dará su forma definitiva. Patrick añade vinagre al poco de leche sobrante en el caldero antes de volver a ponerlo al fuego. Un mousse delicioso, la brousse, se forma en la superficie; mezclada con un poco de mermelada es una delicia.

La tomme envejecerá en el sótano antes de ser vendida a los excursionistas de paso o en los mercados locales; la brousse que no se consuma inmediatamente también envejecerá; entonces perderá su feminidad para venderse en masculino, convertida en "el" brousse.

Mis amigos tienen la esperanza de vender aquí toda su producción, ya que son muchos los turistas y excursionistas que visitan el Parque Nacional del Mercantour. Lo que es ahora, el mal tiempo mantiene las montañas desiertas; la caja común está desesperadamente vacía.

Cerdos, patos, gallinas, perros, carneros, exigen un cuidado y marcan el ritmo del día. Cada uno a su tarea. Yo realizo la única que sé hacer bien: lavar los platos.

Esta noche es fiesta, invito a mis anfitriones a cenar de restaurante. Ellos irán en su viejo cacharro; yo a pie, principio de vuelo vivac obliga.

Su primer gesto, llegados al restaurante, es poner sus navajas encima de la mesa. Todo un símbolo que deja su huella en cada comida; ningún otro cuchillo, aunque fuese de oro, podría cortar su pan. La reserva de tinto del patrón acompaña agradablemente la velada. ¡A vuestra salud amigos!

Las nubes se divierten a ras de bosque, cien metros más abajo. Ni ellas tienen intención de trepar ni yo de jugar a los buzos en un mar de guata.

Aprovecho para visitar las joyas de esta magnífica región, parte integrante del Mercantour. En la cumbre del Mont-

Authion, un imponente fuerte de la última guerra, en ruinas, parece que no acaba de morirse. De mirador ha pasado a ser punto de mira de las generaciones. A tiro de piedra de allí, una veintena de cuarteles, menos ostensibles pero igual de lúgubres, de los que tan sólo queda una alineación de muros incapaces de contener recuerdos.

Entre los dos, como una perniciosa unión, una alambrada de espinos, marrón por el óxido, yace en el suelo. Colocadas antaño a lo largo de toda la frontera franco-italiana para frenar al enemigo, se han convertido en trampas mortales para la fauna. En invierno, con las primeras y las últimas nieves, una fina capa blanca cubre las alambradas y las hace invisibles a los animales. Muchas son las gamuzas, muflones, corzos, ciervos, cabras montesas que se hieren en las patas con los afilados pinchos impregnados del veneno del óxido. Con el frío y la humedad, la desolladura a menudo es mortal. En verano, los rebaños particulares también están amenazados. En muchos lugares, los pastores han desmantelado, por iniciativa propia, estas redes de alambre; sin medio de transporte para evacuar tanta chatarra, han formado con ella grandes montones que no dañan a los animales pero sí la mirada.

En 1989, en un vuelo Chamonix-Niza, recuerdo haber encontrado estos malditos alambres en cada una de mis cinco etapas. La naturaleza no consigue digerir la polución de la guerra.

Al caer la noche, regreso a casa de los pastores. Las velas están encendidas, un último tronco arde en la chimenea.

Frente a un vaso de aguardiente, Patrick toma su gastada armónica y emprende la melodía de un blues, saco la mía, demasiado nueva, y prosigo con un vals.

En el dormitorio, Christine, rabiosa, limpia los restos de un pájaro que mamá gata ha llevado a su retoño; Pierrot, tosiqueando, mal lía un último pitillo.

La vida es difícil para estos habitantes del extrarradio convertidos en pastores. Empezaron con una decena de cabras y su ganado pasa ahora de las doscientas cabezas. No es una fortuna sino un mínimo vital que basta para su autonomía.

Cuando no viven en los pastos, habitan en el llano, solos, en una pequeña aldea inaccesible por carretera. El asno y la espalda de los hombres reemplazan al camión para el transporte de objetos pesados y de la cosecha de los campos que cultivan. Regularmente, se dan una vuelta por el vertedero público; los excesos de una sociedad indecente les caen en gracia.

Dinero líquido, apenas tienen. Malvender la tomme retrasa la compra de unos buenos zapatos; con la cabeza bien alta, seguirán durante un tiempo con los pies mojados.

La independencia no tiene precio.

Al día siguiente, Pierrot, renqueando, desaparece con las cabras, Patrick limpia la cuadra, Christine alimenta al corral, yo termino de lavar los platos y llevo los troncos cerca del hogar. El sol asoma al fin, calentando todo este mundillo.

Patrick, que se parece a un apostol de los libros sagrados, me acompaña hacia mi ala. Personaje entrañable, sencillo, discreto, modesto, sus necesidades se limitan a lo esencial; la naturaleza colma los vacíos. Músico y manitas, a veces taxidermista, guarda de seguridad en una central nuclear, vagabundo por los caminos de Francia, ha encontrado su vocación: pastor.

Sus deseos más caros serían regalarse un contrabajo y aprender a volar. Sabiendo que un deseo satisfecho conlleva otros, sin duda no colmará ni uno ni otro; sabe contentarse con lo que tiene y soñar el resto.

Mientras monto mi ala, no pierde detalle; quiere comprender, comprenderlo todo. Su mirada se pierde en la lejanía, hacia el Mont Agaisen que se distingue muy mal, luego hacia Colmiane, algún lugar en el horizonte, donde le he dicho que quiero llegar. Descender una montaña volando ya le parecía algo extraordinario; pasar de una a otra, sobrevolándolas, le fascina. Nunca hubiera imaginado que esa naturaleza, a la cual venera, pudiese respirar tan fuerte y permitir al hombre viajar por los aires.

Paso el mosquetón por la cinta del ala.

¡Hasta la vista amigo!

Cuatro pasos y despego girando a la derecha, donde un gran cúmulo negro me aspira. Unos cuantos círculos, el ala bien plana, flirteo con la nube, atento a que no se me trague. Este cúmulo es demasiado glotón para que pueda volar en él sin peligro. En apariencia tranquilo, esconde en su interior grandes turbulencias que no se atraviesan impunemente. Ciego y sin horizonte, zarandeado como un títere, me costaría las mil y una controlar un ala arrastrada como una hoja seca, sin siquiera la ayuda de mi brújula, transformada también en ruleta de casino.

Huyo. En los alrededores del cúmulo todo está en calma.

Patrick, tumbado en la hierba, con una flor en la boca, contempla la escena y me manda un último saludo antes de verme desaparecer tras la cresta y las nubes. Su espíritu acompaña a este embajador de Utopía que se va hacia otro prado.

Antes de poner rumbo al oeste, en dirección a Saint-Martin de Vésubie y Colmiane, navego bordeando el valle de Merveilles, un techo demasiado bajo me impide sobrevolarlo.

Más que seguir una línea recta, lamo las vertientes a unos metros del suelo para aprovechar la brisa, entro en cada valle para asediar la ascendencia. A esta altura, no hay motivo para preocuparse de los árboles; la hierba, de un verdor primaveral inhabitual, llega hasta las crestas. En lo alto de una escarpadura, hay una cabaña de pastor rodeada por el rebaño. Sólo un camino se escapa hasta las cumbres. El fondo del valle parece inaccesible; eriales, malezas, piedras y torrentes ocupan los parajes. Aquí, la vida está en las alturas.

En el vallecito de Gordolasque, una línea de alta tensión se anuncia como aguafiestas. Una quincena de metros me separan de ella, lo que quiere decir que tengo cinco segundos para tomar una decisión.

A la izquierda, la seguridad y un aterrizaje inevitable sobre un terreno propicio. Sería el final del vuelo y una caminata obligada de varios cientos de metros de desnivel.

A la derecha, una térmica cuya presencia está marcada por un cúmulo mil metros más arriba. Si no consigo engancharme, no me quedará otra salida que un "arborizaje" en un bosque de pinos, con los numerosos inconvenientes que se derivarían. Destrozar el material en un árbol imberbe no queda excluido; sería el fin.

La decisión tarda, el instinto decide y yo le dejo hacer. El ala gira a la derecha.

No hay que perder la oportunidad.

A unos pocos metros de una pared que la roca lisa y gris mantiene fría, en las turbulencias de un viento de valle atravesado por burbujas de aire caliente, busco, concentrado y ansioso, el núcleo de la ascendencia. Los árboles están a un centenar de metros. Me tienden los brazos mientras la montaña y el cielo parecen más bien distantes.

Pacientemente, centímetro a centímetro, pellizco altura, encuentro al fin el confortable núcleo de esa térmica que me catapulta hasta el cúmulo, el cual, entretanto, ha engordado generosamente.

Sobrevolar la Vésubie es puro trámite. El río ha cavado su surco en el fondo de un valle escarpado. En las escotaduras de Roquebilière y Saint Martin, la única ruta es un nido de víboras que se escapan en todas direcciones.

Me acerco a Colmiane por abajo; cinco o seis giros después, los pocos caserones no son más que tejados grises a conjunto con el alquitrán de la plaza mayor.

Sobre las cimas, cinco parapentes multicolores cortejan

una loma a la espera de un ascensor térmico. Dudo si aterrizar cerca de ellos para charlar un poco, renuncio y me conformo con hacerles un gesto con la mano, probablemente desapercibido.

El valle de la Tinée es todavía más estrecho que el de Vésubie; el bosque de la Fracha desciende desde la cumbre de las montañas para mojar sus raíces en el agua del río y camuflar la ruta de la que se adivinan los meandros. He conservado un máximo de altitud antes de atravesar las gargantas de Valabre, donde no hay aterrizaje posible. Prudente precaución.

Cerca del Mont Mounier hay calma chicha, las térmicas son veleidosas. Con cuidado de no molestar a las ovejas, no me queda más remedio que aterrizar en un magnífico prado, en la Balme des Boeufs, entre la casa del pastor y la imponente gruta de Vignols, a 1700 metros de altitud. A pocos metros de allí, una cruz insólita, sobre un pilar de hormigón, conmemora un accidente de avión. Cinco muertos, ningún superviviente; el recibimiento es lúgubre.

Se acercan un pastor renqueante, con un gran bastón en la mano, y su perro. De lejos, le grito alegremente:

- "¡Hola pastor!"

La respuesta tarda pero es contundente.

- "¡Buenos días! Pliegue su aparato y salga de aquí pitando. La carretera está abajo, está usted en el Parque Nacional del Mercantour y en mi prado."

Intento decirle algo pero no me da tiempo:

- "¡No quiero saber nada, lárguese!"

Una hora más tarde, en su casa, meticulosamente ordenada, me encuentro sentado a la mesa, frente a un plato a rebosar y un litro de tinto, tenedor y cuchillo en mano. Un poco de paciencia, una sonrisa y algunas palabras expertas sobre la buena salud de sus ovejas cambiaron la situación. No hay pastores desagradables.

Firmin, sesenteañero, de carácter alegre, ocupa y mantiene este pasto desde hace decenios. Desde la hierba hasta el molino de agua, pasando por el huerto y las cuadras, cuida de todo con esmero. Pero este año está desesperado, eso explica su recibimiento y su ira. Cuarenta y cinco días de lluvia han acabado con su huerto y su humor; los jabalíes, seguros de su impunidad en el Parque, causan continuos estragos en sus campos; los turistas pisotean sin consideraciones la hierba de sus ovejas; los cicloturistas atraviesan el rebaño con sus bicicletas, sin miramientos hacia los asustados animales; el semental no castrado hace de las suyas, y dos parapentistas pasaron a ras de su cabeza antes de aterrizar cerca de las ovejas, en su hermosa hierba verde. Añadid a todo ello la importación de ovejas de Polonia, el turismo político de Mitterrand en Yugoslavia y su cadera de plástico que le tiene inválido... Son muchas cosas.

Su rostro se ilumina cuando sale el tema de la salud de sus ovejas. Están de maravilla; tuve la suerte de darme cuenta y de decírselo.

Disfruto de un manjar que el hambre hace aún mejor y

del que ignoro la procedencia. ¿Carne o pescado? Firmin me hace saber con orgullo que se trata de Cuesco de Lobo, una seta blanca, abundante, a veces gorda como un balón, más expuesta a las patadas que a la recogida. Está preparado como un escalope. Cortado en grandes rodajas, se pasa por huevo batido con sal, pimienta y leche, luego el pan rallado, y al final se fríe en la sartén.

Entre dos vasos de tinto, transporto mi ala doscientos cincuenta metros más arriba, por encima del puerto de Moulinés. Con pena, por la de cosas que tiene para contarme, abandono a Firmin antes de la noche. Quiero llegar a Beuil para comprar comida y tomar un baño. En el momento del adiós, Firmin me muestra su mejor parcela.

- "La próxima vez que pases, aterrizarás aquí."
- "¡Hasta la vista pastor!"

Llego a Beuil bajo una violenta lluvia. Agradezco el chubasquero de plástico de cuatro chavos que me mantiene seco.

Mamie, la dueña del hotel Millou, me mima como a su séptimo hijo.

Abro el grifo y surge el milagro. De todos los adelantos del confort, el agua caliente se lleva todos mis votos. Ésta, en la que me baño con deleite, hereda también mi roña.

Con los pastores, estoy en la escuela del agua fría y la austeridad, la que te hace valorar diferentemente el confort, banal bajo nuestras latitudes.

Mamie está desconcertada; no sabe dónde clasificar, en sus estereotipados esquemas importados de África del Norte, a este energúmeno parlanchín por el que sin embargo siente simpatía.

- "¿Está casado?" me pregunta, perpleja ante esta manera de viajar.

- "Sí, y tengo también dos hijos mayores."

- "Pues yo, si usted fuera mi marido, no le hubiera dejado marcharse."

- "Pues bien, Mamie, ahora ya no tendría marido."

Con cuatro frases y otros tantos silencios, comprende. Va en contra de todas sus rigurosas convicciones, pero consiente.

*

* *

Al día siguiente, las tormentas amenazan, el viento está al límite de lo aceptable. El competidor habría despegado, pero el vagabundo, en última instancia, renuncia.

Nubes negras no tardan en invadir el cielo. Llueve. En el camino que lleva a Beuil, encuentro una pequeña cabaña. Tan sólo una tabla de madera, con la inscripción "Rifugio d'Angélo", atranca la puerta de la entrada para impedir que entre el viento. Un buen pastor que acepta compartir su modesta cabaña con el viajero desconocido. Con los prismáticos lo veo con sus ovejas al otro lado del valle. Seguramente allí tiene otro cobijo y éste queda desocupado.

El viento y la lluvia se ensañan sobre el tejado de chapa de la cabaña y me retienen.

Dos días de buen tiempo entre quince, es bien poco. Qué importa, el vuelo vivac juega la baza de la naturaleza; ella impone su ley y yo me acomodo. ¡Lejos queda aquel competidor impenitente, continuamente contrariado por los caprichos de la meteorología! Nada, fuera del vuelo, tenía importancia. Lo que le precedía y seguía sólo era espera. Volar debía tener obligatoriamente sabor a prestaciones; el placer se medía en función de los kilómetros acumulados.

Hace frío; no consigo que arda la leña húmeda en la estufa recalcitrante y me caliento acurrucándome en mi saco de dormir. El granizo golpea el techo con un ruido infernal.

Por la tarde, la niebla sustituye a la lluvia. A lo lejos, las ovejas ascienden en dirección a las cumbres, signo de una mejoría del tiempo.

Un balido lastimero, próximo, rompe el silencio. En la hierba helada y mojada, un corderito se acerca a mí balando, aterido, agotado, perdido. Sólo tiene unos días, busca a su madre, sin duda arriba con el rebaño. Amparo al animal durante la noche y lo seco como buenamente puedo.

*

* *

Al alba, con el corderito en los hombros, emprendo la búsqueda del rebaño; se oyen los cencerros a lo lejos. El bebé encuentra a su madre, y yo al pastor "Angélo", que resulta ser una pastora. Va vestida con vaqueros y zapatillas deportivas; lleva un gorro en el que pone "soy genial".

Lo es.

Bajo sus rasgos de abuela, Renée es ágil y viva como una joven. Mujer de experiencia, de mente clara, lucha por vivir libre. El futuro de la comunidad le inquieta.

- "Antes, con 250 ovejas daba de comer a una familia con tres hijos. Hoy, con mis 300 cabezas apenas puedo hacer frente a mis pocas necesidades".

Y añade de un tirón, feliz de tener un interlocutor atento:

- "La gente se ha vuelto cómoda. Quieren hacer menos y tener cada vez más comodidades. No es extraño que las cosas funcionen mal. Los valores esenciales y los pastores han sido olvidados; pronto ya no quedará ninguno."

Respetuosa con los caprichos de la naturaleza, acostumbrada a las dificultades, apenas se queja de este tiempo abominable que parece no tener fin. La situación, sin embargo, raya el límite de lo soportable; los animales debilitados se atiborran de hierba mojada, algunos no lo soportan y mueren.

- "Dentro de una hora, lloverá de nuevo", me anuncia, pesimista, en el momento de separarnos.

Viendo el cielo, no le creo.

Mejor que esperar en el mismo lugar una hipotética mejoría de las condiciones térmicas, alzo mi ala hasta la cumbre del Mont Mounier. Una tarea de escasos tres cuartos de hora.

Avanzo, concentrado en mis pasos, olvidando observar las nubes que me confirmarían la predicción de Renée. Sólo se ha equivocado en una cosa, lo que empieza a caer no es lluvia sino granizo. Me dejo sorprender como un novato, en camiseta, en la cima de la montaña.

En poco tiempo, estoy blanco, congelado y ametrallado por el frío granizo. A pesar de un descenso desenfrenado, llego demasiado tarde, todos los accesorios y el equipo que se ha quedado abajo están calados. Mi "Diario de ruta" no es más que un ilegible papel mojado.

Otros tienen más motivos para quejarse. Con los prismáticos, sigo el avance de dos pastores trashumantes; el uno trepa con el asno a la cabeza del rebaño, el otro cierra la marcha con los dos perros. Se acercan al puerto de Moulinés. ¿De dónde vienen?. ¿Dónde van?. Algunos de ellos recorren decenas, incluso cientos de kilómetros, durante varias semanas, desde las bajas llanuras de Provenza. Ello supone enormes problemas de circulación, de seguridad y de tolerancia por parte de los propietarios de los pastos atravesados. La tradición se pierde sin conmover a nadie, si no es a los propios pastores, obligados a la resignación.

En esta tarde de julio, el termómetro indica seis grados. Ni hablar de volar. Regreso a casa de Mamic para secar mis cosas.

De camino, al final de una pendiente empinada, una enorme oveja muerta, anormalmente hinchada, cierra el paso. La trashumancia es tan dura para los animales como para los hombres.

El calor del hotel me calienta física y moralmente. En plena temporada estival, estoy en un hotel vacío, mimado como un príncipe. Pobre Mamie. Después del bloqueo de las carreteras por los agricultores, los camioneros toman el relevo e impiden la afluencia de clientes.

Qué privilegio poder volar por encima del marasmo. ¡Bienaventurados los pilotos de vuelo libre, el reino de los cielos está a salvo!.

*

*   *

Aislado en una espesa niebla, albergo la esperanza de volar y monto mi ala empapada. Poco a poco, la capa blanca se disipa, pero la lluvia se une al baile y yo le acompaño con una melancólica melodía a la armónica.

En la cima, a la que sólo se puede llegar a pie, ondean catavientos, lo que me hace pensar que los parapentistas utilizan la zona para despegar.

Caminan y luego vuelan.

"Camina o vuela" es el nombre que hemos dado, Hubert

Aupetit y yo, a una nueva forma de competición en parapente cuyos principios, reglamento y espíritu están recogidos en estas tres palabras que excluyen todo medio de locomoción que no sea el ala y las piernas.

Mañana seguro. Hará bueno.

*

* *

Hace sol, pero el aire está saturado de humedad, veo cómo las nubes engordan y taponan el cielo por algunos lugares. A lo lejos, al norte, el puerto de Cayolle indica ya una dirección prohibida. Una gran cortina de agua cierra el paso. El negro cielo a la altura de la nube muda al gris y se va aclarando hasta el suelo. Con el agua, la actividad térmica se muere. Al mediodía, despego sin demasiadas ilusiones.

Tres pasos y la pesada ala se torna pluma y me levanta. Un arbusto se estremece indicándome una ascendencia. El ala se encabrita, levanta el plano derecho; yo contrarresto balanceando mi peso hacia el mismo lado y empujo ligeramente la barra. Dócil, el ala inicia una espiral y empieza a trepar. Sobrevuelo los primeros vallecillos con alborozo y algo de recelo, las nubes son densas. Poniendo cuidado en evitar las zonas de nubes amenazadoras que cubren los relieves, apunto a los cúmulos aislados, bajo los cuales esperan suaves ascendencias; suaves como alegres melodías que interpretamos con delicadeza el ala y yo.

El cielo se lo toma en serio y nos ducha. Rápido, cambiamos de lugar y de partitura, buscando las zonas de cielo azul, jugando con las nubes, burlándonos de la lluvia. No por mucho tiempo, ya que, para sobrevolar la ciudad de Guillaume, he perdido mucha altura. Tengo que cortejar a una nube amenazadora que acaba por reventar y me moja de nuevo. Al ala no le hace demasiada gracia y se vuelve menos dócil; se impone la huida por encima de las gargantas de Daluis, por donde se pasea un cúmulo condescendiente. Me engancho. Mientras subimos, el ala se seca y yo respiro. El variómetro emite un feliz bip bip que indica un ascenso regular de dos metros por segundo. Un cernícalo se une a la fiesta y nos ayuda a centrar la térmica. Mucho más abajo, las gargantas forman recodos, el sol reaviva los contrastes, pero un vistazo atrás me incita a escaparme; la cortina se cierra por todas partes.

Despacio, me acerco al Mont Saint-Honorat, la lluvia siempre pisándome los talones. Mientras me deleito en las barbas de las nubes, la lluvia me rodea subrepticiamente y me condena a aterrizar. Un vistazo y localizo una cabaña y, más arriba, un terreno propicio en el que aterrizo.

La lluvia cae sobre el tejado de este mundo desierto. Son las 13h15. Sólo he podido volar una hora escasa. ¡Qué importa! Ha sido intensa. Tener por terreno de juego el espacio y la inmensidad, por compañeros y adversarios, las nubes, la lluvia, el sol, los vientos, las térmicas, los pájaros; por escenario los Alpes Marítimos y las gargantas de Daluis, bien vale la restricción del recreo.

Con la intensidad de las emociones, las dificultades vuelan y el futuro se ilumina. Todo está claro, todo se justifica.

¡Telón! La niebla asciende y tapa todos los horizontes. El agua gotea a lo largo de los sables del ala. Aprovecho para llenar una cantimplora y bebo hasta saciarme antes de buscar la cabaña. En la pendiente resbaladiza, hecha de escarpaduras y barrancos, el sendero se pierde. El peligro acecha al mínimo resbalón. Tras largos rodeos, gracias al altímetro y a la brújula de mi reloj llego por fin a la cabaña. No pasaré la noche a la intemperie.

La puerta sólo está cerrada por una cuerdecilla. El pastor no está, pero sacos de leña y sal, así como amplias provisiones –entre las cuales cuatro tinajas de vino tinto–, anuncian su próximo regreso. Con esta espesa niebla, es poco probable que sea hoy. La presencia de un hornillo de gas me permite probar al fin la famosa comida espacial, contenida en un saquito de aluminio, que me ha dado un amigo. En el menú de este *Astronaut Spacer dinner* hay *freeze-dried stew with beef* con *freeze-dried corn* y de postre *instant chocolate pudding*. El primer plato no está malo sino francamente asqueroso. El segundo, una vez se ha embebido de agua, tiene el color y el tamaño del maíz, pero no sabe a nada. El tercero satisface la gula. Para ayudar a tragarlo todo, me pongo un vaso del vino tinto del pastor.

Un fuego calienta la atmósfera, algunas notas a la armónica perturban el profundo silencio. La vida es bella.

Desayuno a cuerpo de rey después de una noche de ensueño: café caliente y carne seca. Excepto el café y el traguito de vino que he bebido a la salud del pastor desconocido, no he tocado su stock de provisiones. Dejo un poco de dinero por el desorden y la leña, así como unas palabras de agradecimiento.

Para encontrar agua, juego a detectives siguiendo el rastro de las boñigas de caballo, de las que brotan setas.

Una perdiz asustada sale volando con esfuerzo y ruido. El pájaro regordete se sumerge en la niebla que tarda en disiparse.

A las 13h la visibilidad es buena pero el techo se mantiene desesperadamente bajo, peinando la mayoría de las cimas.

El mistral entra en juego y se deja oír. Tras diez minutos de vuelo, siento sus primeras fechorías. Sopla de norte a sur, mientras que yo emprendo el camino contrario. Se derrama como un fluido, escapando por lo alto de los relieves que le plantan cara y corriendo cuesta abajo por la otra vertiente. Por el lado expuesto al viento, tengo la seguridad de encontrar ascendencias dinámicas; por el otro, la certeza de sufrir violentas descendencias. No es fácil presentarse siempre en el lado bueno de la montaña. Bajo la cima del Grand Collet, pierdo rápidamente altura.

Para evitar aterrizar en el fondo del vallecito, tomo inmediatamente a la altura de un puerto que franqueo a pie.

Al otro lado me espera un fuerte viento de cara, lo cual me alegra, pero también un imponente acantilado, lo que me alegra menos. Los despegues con viento fuerte son peligrosos. El viento y las térmicas se asocian para crear un efecto de rotor en la cima, donde, precisamente, tengo que presentarme para la salida.

Dudo. Tengo poca experiencia de una situación así, más parecida a las que puedes encontrar en la costa que en los Alpes. Seguro que unos cientos de metros más allá hay un lugar propicio para el despegue, pero llegar hasta allí representa un gran rodeo y una enorme pérdida de tiempo con las condiciones tan buenas que hay para hacer kilómetros.

Me acerco al borde del acantilado con dificultad. El viento golpea la roca, se escapa por la vertical y forma un rotor alrededor de mi ala, empujándola por detrás. A duras penas la mantengo estabilizada y avanzo así así hacia el vacío.

La situación es tal que no puedo colocarme en el cortado para salir al aire con toda tranquilidad. Voy a tener que lanzarme desde la zona llana para penetrar, velocidad a tope, en el chorro de aire que asciende verticalmente.

Por un momento, pienso en renunciar, pero no me gusta cambiar de opinión en plena operación. La decisión está tomada. Una duda provocaría el accidente. Allá voy.

Sin que pueda controlar la maniobra, cuando mis pies todavía tocan el suelo, el plano derecho se levanta bruscamente; el izquierdo roza el suelo. Ante la imposibilidad de frenar mi impulso, no me queda más remedio que saltar al vacío metiendo todo el peso del cuerpo en el plano levantado. El ala pivota, se para, duda entre un regreso catastrófico a la pendiente y un saludable resbalón río abajo. Con las dos manos en el montante derecho, insisto con todo mi peso, esperando el veredicto. Tras unos segundos de dudas que se me hacen eternos, el ala responde favorablemente a mis desesperadas súplicas, resbala sobre el cortado, por el lado bueno, y empieza a volar correctamente.

Me llamo de todo. Ha ido de un pelo…

Dejo las explicaciones para más tarde. El mistral y las nubes me tienen ocupado. El primero hace de padre fustigador, las segundas amenazan con aspirarme a gran velocidad. Temiendo estos fatales abrazos, tan peligrosos como el despegue desde un acantilado, evito acercarme demasiado y abandono las ascendencias a una distancia razonable de la base. Cada vez son más numerosas, juegan a ser aspiradores omnívoros antes de repelerme a golpe de trombas de agua. A lo lejos, el cielo de Allos tiene color de entierro. Todas las rutas del norte están taponadas.

La dirección noroeste también me está prohibida ya que los relieves son demasiado altos respecto a la base de las nubes. Sólo me queda una alternativa, descender el valle del Verdon para rodear las altas cumbres hasta la primera cadena.

La ruta del norte pasa por el sur. ¡Nada es fácil!

Al este de la montaña de Chamatte, desciendo demasiado rápido, no hay forma de atajar esta hemorragia de altura. In extremis, en Thorame-Basse, un montículo en el que el viento choca de frente me permite mantenerme a una treintena de metros del suelo. No las tengo todas conmigo; vuelo con los pies fuera del arnés, preparado para aterrizar en los campos. Me despido ya de este vuelo y me consuelo del inminente aterrizaje pensando en el baño que me voy a dar en un pequeño lago cercano.

Pero el sol, que lanza sus rayos perpendiculares sobre las vertientes, decide otra cosa. Las burbujas térmicas, acosadas por el viento, azotan las copas de los árboles y lamen el relieve. Hago incesantes vaivenes, pegándome a los pinos, metiéndome en los barrancos. Después de tres cuartos de hora de lucha, la Chamatte queda en el recuerdo y atravieso sin dificultad el puerto de Vachière.

La amenaza de lluvia y tormentas da por terminado el vuelo sobre la cumbre del Mont Sangraure, altitud 2.500 m. Son las 15h, pero estoy extenuado. Una marmota, sorprendida y petrificada en la trayectoria de mi aterrizaje, no consigue hacerme sonreír. ¡Me he librado de una buena!

Es la hora de las explicaciones, tengo una cita conmigo.

Este vuelo, que en otras circunstancias hubiera constituido un placer a cada instante, iba cargado de amargura y de despecho. Las térmicas eran molestas; las nubes barreras; los vientos enemigos. Volaba por obligación, sin pasión, con el ánimo apagado.

El error cometido en la salida no es el primero ni el último. No condeno la falta, sino lo que me ha hecho caer en ella. Lo que más profundamente me afecta es haber arruinado un trabajo profundo, haber traicionado la esencia.

Con una decisión, el competidor ha echado a la calle al vagabundo, ha borrado la poesía, la templanza, en provecho del cronómetro y el riesgo.

Viajo desde hace veinte días, y para ganar una hora, sesenta minutos de nada, y unos miserables kilómetros, he estado a punto de matarme. ¡Qué burro!

La suerte estaba conmigo pero me llamo de todo.

El piloto de competición se siente orgulloso de haber puesto a prueba su sangre fría y su habilidad. El vagabundo, en cambio, está enfadado; conoce mejor que nadie esos límites que no tiene razón alguna de transgredir.

Con la lluvia a punto de llegar, ni hablar de dormir a la intemperie. Antes de aterrizar, buscando un manantial y un cobijo, localicé una caravana trescientos metros más abajo, cerca de una convergencia de varios riachuelos. Extraña presencia en estas alturas y sin un camino de acceso. Las llaves están en la puerta. En el interior, un confortable colchón de espuma y una mesa para escribir atenúan mi mal humor.

Alrededor descubro un paisaje salvaje y coloreado. Por todas partes brotan manantiales que dan nacimiento a alegres riachuelos que saltan entre la maleza. Más abajo, se encuentran, se hacen adultos y forman un manso río. Cerca de un ibón, dos carneros pacen tranquilamente.

En otras circunstancias me hubieran conquistado; una desagradable mancha negra salpica este magnífico cuadro. He traicionado el espiritu que guiaba mi viaje y estoy rendido.

El resorte se ha roto, el encanto también; el competidor ha regresado para aguar la fiesta. En la soledad del vagabundo encontré la paz y una filosofía; el instinto dictaba mi conducta haciéndome olvidar la hazaña, eso que un pájaro no busca nunca.

La tormenta estalla con fuerza. Que llegue pronto la noche, el sueño y el olvido.

*
* *

Mi humor ha mejorado, como el tiempo.

La solemne sacudida de ayer no ha tenido consecuencias físicas. He aprendido una lección para aprender a vivir. El viaje continúa.

Los rayos de sol penetran en la caravana a través de ventanas con cortinas de plástico en las que vienen a morir grandes mariposas marrones. El escenario meteorológico se repite: con el calentamiento solar, a las 11h aparecerán los primeros cúmulos a lo largo de las vertientes. Poco a poco, remontarán sobre las cumbres y las cubrirán, a menudo durante todo el día.

Hoy, con tanta humedad, tengo poca esperanza de ver el techo nuboso levantarse lo bastante por encima de las cumbres. Las grandes alturas y largas distancias, dignas de las prestaciones de mi ala, tampoco serán para hoy.

Es como para no entender nada. Nunca, en catorce años de vuelo, había encontrado condiciones tan lamentables.

Espero poder despegar hoy. Mis reservas de alimentos están en las últimas y es hora de que llame a mi mujer para tranquilizarla. La soledad me pesa.

En este valle de manantiales, un zorro brinca despreocupado, sin imaginar que un bípedo va a su encuentro. A una decena de metros, se detiene bruscamente, me observa, se interroga y, displicente, da media vuelta.

En el cielo, los primeros cúmulos anuncian malos augurios; desfilan, demasiado rápido para mi gusto, hacia el sur. El mistral se ha levantado.

Me reúno con mi ala, empapada hasta el aluminio.

Al principio de la tarde, una ventana se abre al valle, aprovecho para despegar. Fuera del pequeño circo protegido del viento empiezan las cosas serias y potentes. Las ascendencias son fuertes pero están inclinadas por el viento. Lo que gano en altura lo pierdo en deriva. Un tormento.

Consigo coger altura, pero cada montículo, cada valle es un combate. Llego siempre demasiado bajo, a veces a sotavento, maltratado por el viento hasta que consigo alcanzar la cara buena del relieve, donde el viento se escapa por arriba. La altura adquirida apenas me permite pasar la cima de la cresta. Me veo obligado a buscar una nueva ascendencia que me permita elevarme lo bastante para picar hasta la siguiente loma.

Al pie del Gourgeas, bajo la Tête de l'Estrop, me da tiempo a localizar, cien metros más abajo, la aldea de Mariaud, donde aterricé seis años atrás. En este rincón perdido encontré un teléfono en casa de su único habitante, Eudoxie Roux, cuya amabilidad sólo era comparable a sus muchos años.

Siempre con ese juego de saltamontes, llego a la Montagne des Têtes, que se erige ante mí como un muro. Imposible pasar.

Me poso en su hombro, delante del refugio de Val Pousane, satisfecho de haber podido sacarle una veintena de kilómetros al mistral después de más de dos horas de encarnizada lucha.

El refugio está abierto y es acogedor, pero no hay teléfono ni alimentos. Regreso a Mariaud, a casa de Eudoxie, pero esta vez a pie.

Rápidamente, me sumerjo en el condado del Galèbre. Un rebeco me precede y me indica un paso cerca de un muro de rocas amarillas que rompen las blancas hileras que forman los riachuelos. El agua brota de todas partes, improvisa minúsculas cascadas, se cuela entre las grietas, erosiona las rocas. La montaña, pletórica, vierte su interior.

No hay sendero alguno, el lugar está desierto, apartado del mundo, frecuentado tan sólo por las ovejas y sus pastores. Del pueblo, llamado Immeree, antaño habitado por una decena de familias, no queda más que un montón de piedras camufladas por la vegetación. La bóveda de un sótano, milagrosamente conservada, es la única referencia al pasado.

En torno a los larguiruchos álamos, reyes del lugar, cerezos, ciruelos y manzanos han retornado a su estado silvestre. Las manzanas, del tamaño de las cerezas, no estarán maduras hasta el invierno, justo para alimentar a los zorzales, los cuales disfrutarán también de las bayas de los abedules.

Astutos e invisibles, los jabalíes delatan su presencia por los estragos que dejan en el suelo en su búsqueda de bulbos, raíces y gusanos de tierra.

El Galèbre está dominado por un circo vertical enlutado por una tierra negra que resalta por el blanco de las nieves tardías. Bajo el efecto de la erosión, esta tierra ha invadido una parte del valle y ha formado olas sucesivas de vallecillos.

El tiempo ha borrado los caminos. Avanzo a la buena ventura, a menudo volviendo sobre mis pasos, escalando una pared de tierra endurecida, rodeando un brazo de río o un declive. Tras dos horas de esfuerzo en un paisaje de ensueño, alcanzo la aldea de Mariaud.

La acogida es más bien fría. El paseante barbudo, con su mochila fosforito a la espalda, su gorrito rojo, en busca de un teléfono, sólo suscita desconfianza. ¡Que coja el coche y llame desde el pueblo más próximo! El habitante de estos parajes está preocupado, sus ovejas deben de haberse perdido o quizá muerto, y el mal tiempo persiste, ¿qué pueden importarle los turistas?.

La atmósfera cambia cuando solicito noticias de Eudoxie. Murió hace cuatro años. Su hijo Irénée me recibe, acompañado de Yannick, pastor de temporada. Un vaso de tinto termina de romper el hielo.

Irénée me brinda su granja para dormir y me ofrece pan, salchichón, queso y dos huevos para mañana.

- "No, gracias, los huevos no, no tengo nada para cocerlos."

- "No hace falta cocerlos, son frescos."

- "......!?!?...."

- "Haces un agujero en los extremos y sorbes. Alimenta más que un bistec."

- "¡Ah, de acuerdo! Muchas gracias."

Yannick me invita a cenar. En el menú, lentejas, el único plato que no pruebo nunca. Un viejo recuerdo del pensionado.

- "¿Te gustan las lentejas?"

Miento.

- "¡Sí, por supuesto!"

Con dificultad, trago la primera cucharada; tiene un ligero regusto a internado; la segunda no sabe a nada; las siguientes me gustan y repito cuatro veces. Pensándolo bien, me encantan.

A Yannick no le gusta que coja su navaja para cortar pan.

Me lo dice. Entre los pastores la navaja es un símbolo de supervivencia. Cada uno la suya.

Mi anfitrión es músico, tiene dotes para los instrumentos de viento. Me deleita con un poco de flauta irlandesa y de oboe bretón. Luego pasa a la armónica con unas notas de blues.

"El acorde básico del blues es simple, puedes andar por la montaña y tocar sin que te falte la respiración."

Tomo nota. Estoy en el cielo.

*

* *

El heno de la granja es confortable. Abajo, un gallo ronco canta desde los primeros luceros del alba. Los tres perros ladran de común acuerdo; van y vienen por las tablas justo por encima de mí.

En la febrilidad matutina, los nombres griegos de mi anfitrión y su madre corretean por mi cabeza. Eudoxie significa "buenos consejos", Irénée "Pacífico". ¿Cómo han podido atravesar tantos países y generaciones para aterrizar aquí y sobrevivir a todos los Pierre, Marie y Jean?

Dejo mis interrogaciones y mi mullido colchón para tomar el café en casa de Yannick, donde tiene lugar un consejo de guerra con Jean-Pierre, otro pastor de la zona.

Un perro asesino, probablemente un Husky, ha reaparecido. El año pasado, seis ovejas murieron en sus colmillos. Ayer, un carnero destrozado yacía no lejos del rebaño. Hay que abrir los ojos y preparar los fusiles. A esta preocupación se añade la de los veintiséis corderos extraviados. Afortunadamente, ayer, sobrevolando la Tête du Bau, localicé una decena de ellos por debajo de una cabaña, cerca de una poza de agua.

Con Jean-Pierre, regresamos al Galèbre, él a la búsqueda de los corderos y yo a reunirme con mi ala y proseguir mi viaje. Jean-Pierre conoce la región como la palma de su mano, es su universo y el de sus antepasados; el único lugar donde se siente realmente bien. Cada frase expresa y rezuma su apego.

Los torrentes ya no forman pantanos, y menos laberintos. Mi guía me lleva al lecho del río, que sabe evitarlos. Llegamos a Immeree en tres veces menos tiempo que en el trayecto inverso.

El pueblo ha perdido su primer puñado de hombres, se fueron a Méjico después de la guerra de 1914-1918. Otro puñado murió bajo las balas de los alemanes en 1939-1945. Para colmo de males, en los años sesenta, los supervivientes padecieron la desvalorización de la agricultura de montaña. De modo que Irénée es el único habitante permanente en toda la región. La ausencia del hombre ha favorecido la proliferación de las especies animales. En este edén, 250 carneros, 170 gamuzas, 5 cabras montesas, 2 corzos y 8 jabalíes han sido censados por Jean-Pierre y sus amigos, sin contar la pareja de águilas, los gallo lira, urogallos y multitud de zorzales.

Después de esta comunión, nos separamos con un apretón de manos que expresa más que todas las palabras del mundo.

Tengo hambre. Un agujero en cada extremo, como indicaba Irénée, y absorbo el primer huevo. No me resisto al placer de tragar el segundo. El gusto es bueno, el gesto augusto.

Debo al mistral el haber conocido el Galèbre. Sin él, esta fabulosa región sólo sería una línea negra sobre el mapa de vuelo, una vulgar cifra precediendo a la palabra kilómetros. Al mal tiempo debo los más calurosos encuentros, los más bellos descubrimientos y esos momentos de emoción tan queridos al alma del vagabundo. Salí a la conquista de los aires y los kilómetros y he descubierto la tierra y un arte de vivir.

Ninguna esperanza de volar hoy, el mistral es demasiado fuerte. Aprovecho para descender al Vernet para coger provisiones. En los vastos prados, terneras, novillos, pollos, potros y asnos pacen juntos en total fraternidad. Su abrevadero es un enorme tonel en el que corre el agua que mana de un fresco manantial. Providencial bañera en la que me sumerjo.

En el camino, una víbora se contonea perezosamente.

*
* *

La lluvia y la tormenta se han marchado. Una cola de mistral persiste en altura mientras una tímida brisa acaricia la hierba del despegue. A unos pasos, tres bebés marmotas juguetean sin prestar atención al potencial peligro que represento. Con un silbido estridente su madre les llama al orden.

Un primer "burgués" de los aires, en su afilado velero, pasa a mi altura. Suelta la palanca para saludarme, preguntándose sin duda qué hace un piloto de ala delta en esa cumbre sin camino de acceso. Pasa el segundo, luego el tercero; un desfile. A pesar de las buenas condiciones, aguardo en tierra. Sobre las alturas de la Montagne de la Blanche reina una animación digna de la *Promenade des Anglais* en un día soleado. A pesar de esta prueba de ascendencias, espero a que el techo de nubes suba para tener un máximo de posibilidades de atravesar el lago de Serre-Ponçon, una veintena de kilómetros más lejos, y llegar al otro lado.

Despego a las 14h30 y me engancho rápidamente a la calle de nubes, basta con seguirlas en línea recta. En Dormillouse están los grandes bulevares; planeadores, deltas, parapentes cruzan por encima, por debajo, por los lados.

Más lejos, en el Mont-Morgon, sólo quedan algunos planeadores. Se agradece que el cielo no esté tan colapsado, ya que, mientras "espiraleo" alegremente en la térmica, a la velocidad vertical de cinco metros por segundo, puedo ocuparme de mi nariz que sangra sin razón aparente. No es fácil contener esta marea roja, una mano va y viene entre la barra de control y mi nariz; la velocidad dispersa la sangre por todas partes, la cara, el casco, los guantes, la ropa. Llegado a la nube, todo se calma, incluso mi nariz.

Por encima del lago, vuelvo a encontrarme solo y, a pesar del grandioso espectáculo, un poco desesperado. En el horizonte, las altas cumbres nevadas de la sierra de Ecrins se suceden hasta perderse de vista. A la derecha, el paisaje es montañoso, contrastando con los llanos y las suaves colinas que ondulan a mi izquierda. De un azul intenso sobre los relieves, el cielo se torna lechoso sobre los campos. La vida bulle en silencio alrededor de un lago turquesa. Los veraneantes, que se adivinan por los puntos claros de las sombrillas y los reflejos del sol sobre la carrocería de los automóviles, han invadido el lugar. En el agua, los barcos son perceptibles por la V de su surco en el agua, como el avión del que sólo vemos la estela blanca.

La efervescencia desaparece. El objeto de mis preocupaciones está delante, el Pic des Chabrières. Tengo que alcanzarlo imperativamente al nivel de sus crestas.

Las nubes vuelan bajo, me hundo. Poco a poco, la circulación de los veraneantes se deja oír; de discreta ha pasado a ruidosa.

He dejado el Morgon a 2.600 m; la transición me cuesta la mitad, incluida la sobretasa debida al mistral. Es un precio demasiado alto. Importunado por el viento mientras intento atrapar una térmica, me veo obligado a aterrizar en el pequeño lago de Saint-Apollinaire.

Tres niñas, excitadas por el acontecimiento, se desgañitan en la carretera; me gritan que no se atreven a acercarse por miedo a las serpientes en los prados. Picadas por la curiosidad, y tranquilizadas por mis palabras, se aproximan y salen huyendo inmediatamente. Tardo unos minutos en comprender esta repentina media vuelta. ¡La sangre en la cara! Me han tomado por un vampiro.

Después de aprovisionarme en una tienda de ultramarinos y darme un festín en la cantina, llevo el ala cuatrocientos metros más arriba, bajo las Aiguilles de Chabrières, y vuelvo a bajar enseguida para tomar el resto del material. En el camino, la casa forestal de Joubelle, siempre abierta, me ofrece una morada ideal.

*

* *

Ni quiquiriquís, ni balidos, ni ladridos, sólo el chapoteo de la fuente y los gorjeos se encargan de sacarme de una noche agitada. Con el transporte del ala, las caminatas y la duración de los vuelos, cada vez más largos, los engranajes de mi cuerpo, sometidos a un trabajo demasiado duro, se sublevan. Tendré que pensar en repartir mejor mis esfuerzos.

La cola del mistral no acaba de morir. Sigue soplando lateralmente, inclinando las térmicas. En lugar de tomar altura, las briznas de hierba que lanzo al aire pasan horizontalmente ante mis ojos. La falda de los matorrales, levantada al viento, descubre una ropa interior verde claro.

Cuando, al fin, el sol está bien perpendicular a la pendiente, asegurando mayor calentamiento, despego. Durante un cuarto de hora escaso, me hago ilusiones, luego inicio un irremediable descenso hasta la granja de Saulque, en la Bâtie-Neuve, al pie del despegue oficial del Piolit. En este lugar no tengo ningún problema para adivinar la dirección del viento. Fieles a sus costumbres, las vacas exponen su trasero al viento. Les horroriza notar corrientes de aire en el hocico.

Al aterrizar tengo un flaco consuelo. Unos parapentistas que despegaron de una zona cercana corren mi misma suerte, lo que confirma la mediocridad de las ascendencias. Mi honor de piloto está a salvo. A fuerza de encontrarme en dificultades he llegado a tener mis dudas al respecto.

Bajo el sol, al que agradezco su calor después de tan largas ausencias, llevo el ala quinientos metros más arriba, antes de bajar nuevamente a la granja para pasar la noche en un confortable heno.

*

* *

Ambiente simpático en el despegue. Por primera vez no estoy solo. Cuatro alegres pilotos italianos y una vivaracha francesa de ojos verdes se reúnen conmigo.

Desde hace dos semanas, surcan las carreteras de Francia y España en busca de una zona que se libre de las trombas de agua. No han hecho más que vuelos penosos; están frustrados. Mi itinerario y mi rostro ufano les desconcierta.

La menos sorprendida es ella; vuela a menudo lejos de las multitudes. Es una apasionada del vuelo libre, para ella también se ha convertido en una escuela de la vida. Una depresión le hundió en el caos, consiguió salir por el cielo, agrandada. Hoy, radiante, vuela.

Dejo a esta simpática gente por arriba. Las condiciones no son ninguna maravilla pero bastan a un hambriento de vuelo.

Un águila me acompaña a la nube, luego su compañera se une a nosotros. El sol nos hace girar en un movimiento de vals. Después cada uno se va por su lado, las águilas a la caza de las marmotas, yo a la pesca de las térmicas.

En las alturas de Saint-Michel de Chaillol, me encuentro en dificultades. Un planeador está en las mismas que yo. Juntos buscamos desesperadamente la ascendencia. Él pesca una y se inclina hacia un lado. Voy a por ella, le adelanto por dentro haciéndole un gesto de agradecimiento y reverencia antes de adentrarme, presuntuoso, en el interior del Massif des Écrins.

En unos minutos, el paisaje se metamorfosea. A las cimas dispersas sobre bosques y suaves laderas, suceden las paredes negras y chorreantes de varios circos montañosos, codo con codo, unidos por altos puertos difíciles de sobrevolar. El techo de las nubes no es mucho más alto que las cimas. Como un pez en su acuario, me encuentro prisionero en uno de los circos, angustiado por lo inhóspito del lugar y la imposibilidad de aterrizar en las alturas de esas pendientes demasiado inclinadas.

Imaginar el tormento de un aterrizaje en ese agujero me hace sensible a la mínima ascendencia. Al final, con dificultad, consigo salir de esa trampa y me apresuro a volver a las alturas, más complacientes, bordeando la Ruta Napoleón, que estoy condenado a seguir.

En una térmica, cometo un crimen de padre y muy señor mío al no respetar la prioridad de un águila, más atenta a su presa, en tierra, que al paquidermo que vuela por encima de su cabeza. Por los pelos, evita la colisión metiéndose sobre el cortado y replegando las alas. En tan poco tiempo y a esta velocidad, yo en la vida hubiera sido capaz de cambiar de trayectoria. El águila no es de naturaleza distraída; pensándolo bien, me da en la nariz que se ha marcado un farol. Demostrándome la superioridad de su técnica, ha vuelto a poner las cosas en su sitio.

En el punto de mira se dibuja el objetivo del día, el santuario de Notre Dame de la Salette, encaramado, a 1.800 metros de altura, sobre el Mont-Gargas.

Con el declive del sol, las ascendencias se ablandan y dejan el campo libre al mistral. La montaña del Grand Chapelet, cuyo nombre anuncia su color místico*, se alza como último obstáculo infranqueable.

Intento pasar por una escotadura entre dos cimas, pero estoy demasiado bajo, me faltan unos metros. Sin dudarlo un momento, me alejo del relieve, giro a la derecha metiendo el ala sobre el cortado, regreso a toda velocidad a la pendiente y la remonto un poco antes de tomar, suavemente, en la hierba. El fuerte viento descendente facilita esta maniobra de aterrizaje, pero maltrata a este torpe pájaro que carga su ala a pie y a contracorriente los metros que le separan de la otra vertiente. Un cuarto de hora más tarde lo habré conseguido. Tres pasitos y vuelo de nuevo hacia las cumbres.

Una oveja abandonada vaga por estas alturas. Muy cerca suyo, yace el cuerpo de otro animal, muerto, con la cabeza atrozmente mutilada.

* El significado de *Chapelet* es "rosario".

Unos cuantos vaivenes más sobre la cresta, para ganar un máximo de altura, y el santuario de Notre Dame de la Salette se pone al alcance del ala. Me elevo hacia este alto lugar de oración.

¿Podré acercarme a estas monjas, cuyo convento imagino con puertas y persianas cerradas, bajo pretexto de mendigar un poco de pan y agua?

De lejos, el edificio es imponente, pero no parece que las persianas estén cerradas. Hay gente alrededor del santuario, sin duda se han reunido para una celebración. Sobrevolándolo desde más cerca, descubro, a modo de claustro, un centro turístico, un escenario de teatro, un hormiguero de peregrinos con sus parkings, sus cafeterías, sus oratorios, sus bazars de todo tipo y su helipuerto.

En la última fase de un aterrizaje perfecto, hago mi genuflexión. Ante tal efervescencia mística, me mantengo a distancia, incómodo.

Cuando la noche cae, haciendo prueba de gran devoción a ojos de algunos peregrinos, me arrodillo delante de la estatua de la Virgen de la Salette, donde se encuentra el único manantial. Es hora de hacer la colada y no tengo más remedio que purificar mis calcetines.

La cima de la colina que domina el santuario se halla coronada por una cruz de hierro, es un lugar perfecto para pernoctar. Me duermo, un poco desorientado, en los brazos de mi ala y bajo los brazos clavados del Salvador.

*
* *

Suenan las campanas del despertador. El infernal estruendo resuena en todo el valle. Atenazado por el hambre, parto de peregrinaje.

En el self-service del restaurante, canalizadas por altavoces omnipresentes, doscientas personas, la tercera parte de los pensionistas de este inmenso complejo hotelero, hacen cola. Entre un crucifijo y una pila de periódicos "La Croix", hay unos prospectos a disposición del público. Me pongo al corriente entre dos tragos de café que se me quedan atravesados en la garganta. La fabulosa historia de la aparición de la Virgen de la Salette reconstruye la serie negra.

La Bella Señora se apareció a dos niños, hablándoles en "patois", como una madre. Les anunció que el pueblo de aquí abajo no rezaba lo bastante, trabajaba el domingo, juraba pronunciando el nombre de su Hijo, enojado, cuyo brazo ella ya no podía sostener. Amenazó a los pastorcillos, aterrorizados; después de la mala cosecha y el hambre, los niños menores de siete años perecerían con mortales convulsiones. Sin misericordia, la siniestra predicción se cumplió, parece, al año siguiente.

Desde entonces, la gente viene aquí a redimir sus pecados y hacer su reserva en el paraíso. La caja está permanentemente abierta. Los penitentes que no tienen dinero y los ausentes pueden pagar por correspondencia. La salvación tiene un precio, expresado en los honorarios de las misas, desde 65 francos por una, hasta 2.400 por la treintena.

El negocio rinde al máximo. Amén.

Ahora me toca a mí parecer un Jesús llevando mi cruz cincuenta metros más arriba. Abro mi ala sin hacerme de rogar y abandono sin pena a los comerciantes del templo.

*

* *

Una depresión se distingue claramente en el horizonte, confirmada por algunas desagradables ráfagas de viento. Las decenas de metros ganadas sobre el Mont Gargas no me bastan para huir, hoy no habrá ascenso.

Después de una hora de vuelo difícil, no tengo más remedio que aterrizar en el fondo del valle, en un lugar llamado Les Mathieux, altitud 1.100 m.

Aunque el camino que lleva hasta los integristas es más corto, le doy la espalda y franqueo el Mont Chapelet, ala a la espalda, hasta la cabaña de Saïd, pastor kurdo y musulmán.

Desde hace tres años, este refugiado político de veintinueve años está separado de su joven esposa, su familia y amigos. Vive solo, con su perro Simo, en una cabaña limpia y ordenada. Radio-Turquía, que Saïd sintoniza por las noches cuando las condiciones son propicias, es el único lazo con su país.

Saïd es creyente, la religión es la única enseñanza que ha recibido este hombre iletrado. Como los de enfrente, no pone en duda los dogmas de su iglesia y me interroga sobre mis creencias.

Prefiero no hablar al respecto. Lo comprende. El capítulo está cerrado.

Agradezco su amistad y su hospitalidad. Le alegra mi presencia y me lo dice.

Su colchón descansa a ras de suelo. Para dormir, no puede ofrecerme más que las tablas, mal alineadas, de su granero. Las prefiero al confort del santuario.

*

* *

Los primeros rayos de sol riegan la solana, el santuario y el redil de enfrente; François, el pastor, aprovecha los primeros rayos para llevar su rebaño al montículo vecino, sumergido en el manto blanco y aborregado.

Más al norte, en la cuna del valle todavía en sombra, unos campistas pliegan sus tiendas. Sobre ellos, en un rellano que domina el curso del agua, hay dos rebaños de ovejas alborotadas. Como los granos en un cedazo, unas cuantas esperan pacientemente frente al estrechamiento de la salida del parque, mientras las más rápidas se desperdigan por los prados.

Saïd, con un saco de sal a la espalda, va al encuentro de sus ovejas cercadas en las alturas; ellas le aguardan apretadas unas con otras como los hilos de una manta de lana.

El cordero de la cabeza destrozada, que vi tres días atrás, es suyo. El que pacía al lado servía de cebo a tiradores ocultos. El autor de la carnicería es un perro errante al que están persiguiendo.

Nuestros caminos se separan, me reúno con mi ala, amordazada en su funda.

Estando solo en el sendero de tierra, cerca de un riachuelo seco que sólo abreva a los pájaros, voces monocordes y cantarinas me sacan de mis pensamientos. Niños y cura en cabeza, un grupo de penitentes alternan plegarias y canturreos en el camino del santuario y de la misericordia.

Como saludo –la cabeza baja, el rostro contrito–, los chavales imploran:

- "Rogad por nosotros, pobres pecadores..."
Tienen diez años y ya cargan con el peso de todos los pecados del mundo.

De un plumazo, una pareja de águilas borra el mal sabor de este encuentro. La naturaleza recupera sus derechos y el pícaro su fe. Cerca del relieve, una decena de chovas se agitan encadenando piruetas y cabriolas. Un grévol desciende en picado tras un torpe y ruidoso despegue. El cielo está revuelto, sordo a las órdenes de un sol sin embargo autoritario. El viento del norte impone su ley y tamaño a los cúmulos hechos jirones. A la sombra de mi ala, mi pluma resbala sobre el cuaderno, mi boca sobre la armónica, mis prismáticos sobre los montes; mis pensamientos van y vienen, se atropellan, giran hacia el razonamiento, se hunden en la meditación y encuentran coherencia. Una siesta lo calma todo, lo que dura una tranquila cabezadita.

Al final de la tarde, a pesar de los alentadores auspicios, intento un vuelo que, tras una hora de acalorada lucha, me lleva bajo las ventanas del santuario. Al acecho de la menor térmica, lo único que encuentro es una brisa de ladera que me condena a permanecer a la misma altura. En la explanada, las manos de los penitentes se desunen para saludar la aparición y vuelven a juntarse para el rezo. Ojalá me eleve y me permita moverme por encima del Mont Gargas.

No hay duda, la ascendencia mística está reservada para los elegidos. Como último recurso, renunciando a una nueva estancia en los santos lugares, regreso allí de donde salí y aterrizo delante de la cabaña de Saïd, encantado de volver a verme.

Su pasta preparada a la oriental es deliciosa. Después de coger agua en la fuente vecina y lavar algo de ropa, vuelvo a las rugosas tablas del granero atravesado por las ondas de Radio Turquía.

*

* *

La hospitalidad es sagrada. Aunque Saïd esté sin dinero y le falte de todo, se niega a que le pague los alimentos que he consumido durante dos días. Lo único que no ha podido darme es la hora porque no tiene reloj. Como buen suizo, me encargaré de ello.

Aprovecharé la ocasión para enviarle algunas informaciones sobre los detectores de metales. Saïd tiene una loca ilusión. Quiere encontrar el tesoro escondido por su abuelo en algún lugar cerca de su pueblo natal. El abuelo fue deportado por los rusos, pero antes del exilio ocultó tan bien su escasa fortuna de la codicia de los invasores que sus parientes le han perdido el rastro.

¡La esperanza de una vida mejor está en el fondo de un agujero!

Ayer, cuando llevaba mi ala cerca del Col des Vachers, un grupo de adolescentes se acercó a echarme una mano. Las preguntas fueron tantas que invité a mis jóvenes amigos a que se reuniesen conmigo, hoy, en el lugar del despegue.

Ahí están todos, fieles a la cita, curiosos, intrigados y sudando después de dos horas de caminata por cuestas empinadas.

Tumbados en la hierba, permanecen atentos, fascinados por mis explicaciones.

Con respeto, sus manos rozan el ala. Observan con una mirada nueva el desarrollo de los cúmulos. Bajo el efecto de invisibles ascendencias, que los niños perciben como reales por las caricias de la brisa en sus rostros y el estremecimiento de las hierbas, los embriones algodonosos se convierten en masas abotargadas de líneas puras.

Como por arte de magia, justo en plena representación, una pareja de águilas entra en escena e inicia circunvoluciones. Sin aletear, ilustran a la perfección el funcionamiento de las térmicas, trepan hasta la nube y se retiran, misión cumplida. Para completar el cuadro, chovas, menos soberanas, hacen de vedettes y acróbatas en un cielo que algún genio decorador salpica de manchas blancas hasta el infinito.

Para mí, es la señal de salida; me toca entrar en escena, unirme a los pájaros bajo los cúmulos.

Notre Dame de la Salette ya no es más que un recuerdo que desfila y acaba por desaparecer definitivamente detrás de una cresta. Con las prisas por darle la espalda, desatiendo la altura y me encuentro en dificultades por encima de Entraigues.

En el acantilado que domina el pueblo, paradójicamente bien expuesto a los vientos de valle, me cuesta lo indecible hacerme con la altura indispensable. Me siento imantado por un campo de maíz en el que hay una manga de viento. El ascenso a pie, tras un aterrizaje en este lugar, por un sendero zigzagueante entre rocas agresivas, sería un calvario. Desconcertado por estas mediocres condiciones que contradicen un cielo, sin embargo, lleno de promesas, lucho como un condenado. Cuando, aparentemente, todo debería llevarme a la nube, me arrastro penosamente al nivel de una franja rocosa y una línea de alta tensión.

Cinco parapentes y dos alas delta venidos de enfrente intentan unirse a mí; en vano, se van rápidamente al suelo. Cansado de idas y venidas tan molestas como improductivas, renuncio a hacer el techo e intento, sin demasiadas ilusiones, meterme en el valle de atrás, en dirección a las cascadas de Confolens.

Tengo de cuatrocientos a quinientos metros de margen, con la certeza de que perderé un buen centenar de metros a sotavento del acantilado, obligado a acelerar para huir de las descendencias. Sin demasiadas esperanzas pero con determinación, me adentro en un valle escarpado que forma un cortado en el bosque. Tal vez haya allí una térmica. Abajo del todo, en una pequeña pradera, un ruidoso helicóptero gira sus palas al ralentí.

La térmica está ahí, pero las presentaciones son bruscas. Sin avisar, cuando en las proximidades todo está en calma, levanta bruscamente el plano izquierdo del ala y me echa brutalmente de su territorio. No intento forzar el paso, dejo que el ala vuele; efectúa un giro completo y me presenta de nuevo frente a esta ascendencia invisible. Para situarla, he encontrado algunas referencias, los movimientos de las hierbas, el estremecimiento de las hojas, la agitación de las ramas; nace en el torrente y sube verticalmente, potente, poco influenciada por el viento. La penetro. Las negociaciones son duras pero el ascenso es inmediato. Bañado en sudor, me acerco al firmamento y a las nubes, a dos mil ochocientos metros. Esta altura es muy inferior a lo habitual en esta estación, pero en las circunstancias actuales es un lujo.

De las cascadas de Confolens tan sólo conoceré las letras negras en un mapa de geografía fijo a mi barra de control.

Al sur, en el Massif des Écrins, la Muzelle y la punta de Swan sólo dejan asomar de las cumbres vecinas las cabezas blancas y negras mostrando su mejor perfil. En la ruta de oriente, la cadena del Oisans se transforma en la cola de un vestido de novia que asciende hasta la Meije, la Magnífica; se hace un collarín irrespetuoso con las prestigiosas cumbres de la Vannoise, que la perspectiva hace parecer más bajas. Las Grandes Rousses dominan el Alpe d'Huez pero se inclinan ante una Majestad indiscutible, el Mont Blanc.

Ahí está, al fin. Se alza y su imponente estatura me indica el camino a seguir. Pronto haré cosquillas a su falda.

Al ritmo que va este viaje, llegar hasta allí todavía me llevará tiempo. Que no se diga. Cada día que pasa es motivo de felicidad, y el objetivo, hoy, es el Alpe d'Huez.

El ala tensada, la cabeza metida entre los hombros, los brazos pegados al cuerpo, todo ayuda a mejorar la aerodinámica y el rendimiento. Se trata de franquear la última gran dificultad, atravesar el valle de la Romanche.

Lo importante es conservar la altura. Al otro lado me espera un acantilado; necesito una reserva de altura de cincuenta metros para sobrevolarlo. En caso de fracasar, la sanción será dolorosa, diez horas de caminata a lo largo de una célebre ruta querida por los ciclistas del Tour de Francia. Enorme reto para un hombre pájaro.

Pasaré, no pasaré. El ala se mantiene en línea, poco influenciada por el potente viento de valle que se manifiesta en la inclinación de los árboles. Controlo mis instrumentos: el anemómetro indica 44 km/h, el variómetro, una tasa de caída de 0,8 m/s. Evalúo mi fineza en diez, por cada diez metros de planeo horizontal pierdo un metro en vertical.

No pierdo de vista la cúspide de ese acantilado que acabo por sobrevolar con una pequeña, pero tranquilizadora, reserva de altura antes de aterrizar en el Signal de l'Homme.

Después del agua bendita de Notre Dame de la Salette y

el jarabe de Saïd, toca el champagne de Jean-Claude, instructor de parapente cuya hospitalidad agradezco. Vive a media hora de camino del lugar de mi aterrizaje. Una suerte.

Por la noche, por teléfono, mi hijo pide noticias del Tour de Francia. Me hace saber que lo he sobrevolado, probablemente a cientos de metros.

Noté cierta efervescencia en el cielo, aviones, helicópteros, ULM, pero no tomé precauciones. Mi mente estaba concentrada exclusivamente en el obstáculo del día, ese acantilado, ninguna otra cosa tenía importancia.

*

* *

Trescientos metros me separan de la cima. El peso del ala en mis hombros me reprocha a cada paso una buena resaca. Una a una, las burbujas de espumoso se van desgranando y salen volando hasta desaparecer totalmente en la cumbre, donde al fin vuelvo a sentirme en plena forma.

El sol se escuda tras un velo uniformemente gris y me condena al descanso.

Al final de la tarde, un vuelo de planeo, en un aire insípido, me lleva sobre la falda de las Grandes Rousses; las remonto a pie, hasta una arista ideal para el despegue del día siguiente.

En el camino, Gaby vigila a sus ovejas. Me invita a su casa.

En casa, un fusil y cartuchos montan guardia al lado de la cama. Gaby no tiene un pelo de cazador furtivo, pero perros de la estación vecina que andan sueltos vienen regularmente a asustar a sus animales. Gaby intenta solucionar el problema por la vía amistosa, pero a los propietarios de los perros no les preocupa demasiado el stress de sus ovejas. Recientemente, un perrazo negro, de fácil identificación, sembró el pánico entre el rebaño. Gaby fue a ver al propietario, a quien ya conocía.

- "Tu perro ahuyenta a mis ovejas."

- "No es mi perro, te equivocas pastor."

El perro reincidió. Gaby volvió a quejarse con razón al dueño:

- "Tu perro ahuyenta a mis ovejas."
- "Te digo que te equivocas pastor, no es mi perro."
Un cartucho solucionó definitivamente el problema. El dueño del perro, al ver que su chucho no regresaba, preguntó a Gaby:
- "¿No habrás visto a mi perro?"
- "He visto uno. Pero no era el tuyo."
Durante un tiempo, los perros han vuelto a sus correas y las ovejas de Gaby a la tranquilidad.

*

* *

Hace exactamente un mes que los amigos me dejaron en Sospel.

No hay duda, ¡el tiempo es una noción flexible! Siempre he corrido para ir por delante, a menudo para atrapar lo que había perdido; por primera vez tengo la impresión de ser puntual. Nada corre prisa. Estoy donde debo estar.
Ayer llamé a Patrick y Nicolas, uno y otro cómplices de mi proyecto. Les preocupa mi estado de ánimo, ven planear el abandono. Les tranquilizo. Nunca me verán tan

feliz. De la lluvia, la tormenta, la nieve, el mistral, los techos bajos, he hecho mis aliados; gracias a esta aparente adversidad me he adentrado en las entrañas de los Alpes y en las mías.

Detrás de las Grandes Rousses me espera una zona de altos relieves. Los pilotos locales me han desaconsejado sobrevolarla. Ellos no se aventuran nunca por temor a cagarla en un lugar de difícil acceso para los vehículos de la recogida. A pesar de sus reservas, elijo esa ruta y la línea recta. Al volar sin asistencia, la ausencia de carretera no supone un inconveniente, no hay ninguna zona prohibida salvo las impuestas por las condiciones meteorológicas.

Hoy, como de costumbre, son poco clementes. Las nubes lamen la montaña muy por debajo de los picos del Lac Blanc y del Etendard, a los que debería pegarme para franquear los puertos del Glandon y de la Croix de Fer. Cuando el techo de nubes es bajo, aquéllos impiden el paso.

Ya veremos. Tres pasos y al aire.

Echo un vistazo nostálgico a la casa de Gaby, el pastor; un segundo vistazo, indiferente, a la telaraña en la que se ha convertido el Alpe d'Huez, enredado en los cables de los remontes mecánicos; un tercero, triste, a los magníficos lagos de altura desfigurados por los hombres. Todo se difumina con rapidez, estoy por entero en mi vuelo y en el pequeño milagro que se está produciendo.

Llegado a la base del cúmulo, me alejo del relieve para ganar su proa y me vuelvo a encontrar en su flanco, donde choca el viento del sur. Extrañamente, la nube resiste a esta presión de aire cuyos hilillos se escapan por arriba al tiempo que me llevan con ellos. Para explotarlos, penetro en el interior del cúmulo, en el blanco opaco, lo que dura media espiral antes de terminar el rizo en el azul. Trepo así más de 1.000 metros de desnivel, hechizado, sumergido en los elementos. El cielo es mío.

Encima, debajo, delante, detrás, el algodón blanco se forma y se deforma. Tan pronto me envuelve, tan pronto se abre sobre dos lagos maravillosamente verdes en un mar de hielo. Cuanto más subo, más asoman los altos relieves en el horizonte. El Massif des Écrins, y después el de la Vannoise, desvelan sus secretos poquito a poco; aparecen, el tiempo de hacer medio giro, borrarse en el blanco opaco y asomar de nuevo.

El espectáculo justifica toda una vida de vuelo.

El ala, silenciosa, muestra una docilidad impresionante en este baile. Dejo de estar solo. Chovas, ágiles y ruidosas, hacen acrobacias en escuadrilla. Como puntos suspensivos alborotados, vienen y desaparecen. Con sorpresa, descubren el enorme acento circunflejo que pasea su divertida coma sobre un papel secante manchado de tinta azul.

En medio de la euforia, sin darme cuenta, he sobrevolado los puertos del Glandon y de la Croix de Fer.

La magia no dura. Con la caída del relieve pierdo altura y regreso prudentemente a la base de las nubes, demasiado baja para permitirme sobrevolar impunemente la Maurienne.

Al otro lado, sobre el pueblo de Montvernier, una línea de alta tensión me impide acceder a un valle prometedor, bien expuesto a los rayos del sol. Gracias a una burbuja térmica consigo por fin los veinte metros de margen necesario para pasarla por encima. En vano. El valle, olfateo todos sus rincones, rechaza mis intentos, ninguna burbuja de calor lo habita. Me veo arrastrándome y regresando a la casilla de salida, esta vez pasando por debajo de la línea.

El viento de valle me pilla muy bajo, a dos dedos del aterrizaje y de una infame subida a pie tras una hora de gloria en la embriaguez de las alturas, me alza por encima de la franja rocosa y encuentro la horrible línea que una ascendencia terminará por apartar de mi vista.

Aliviado, prosigo mi camino, tomando todas las precauciones para no bajar por debajo de los 2.000 m de altura, ya que las térmicas son inexistentes.

Con un águila, en perfecta sincronización, cada uno en su ascendencia, ejecutamos un ballet, completando los mismos círculos, al mismo ritmo, a la misma velocidad ascensional. Llegados a las barbas, cada uno reemprende su ruta. Me engancho a la nube adoptando la técnica del delfín; siguiendo una trayectoria en línea recta, me dejo aspirar por las nubes llevando el ala lo más lenta posible, luego cojo velocidad y salgo fuera, apareciendo y desapareciendo a ojos de los intrigados excursionistas que trepan por la montaña. Navego a la altura de las crestas, con cuidado de conservar siempre un contacto visual, aunque difuso, con el suelo.

Al primer intento, el puerto de la Madeleine me rechaza; sólo doscientos metros le separan de la base de las nubes. Las altas mesetas que le preceden y le siguen no facilitan el avance. Vuelvo sobre mis pasos para hacer el techo, me cuelo de nuevo en las barbas, reaparezco sobre la cabeza de los excursionistas sorprendidos y acabo pasando.

El sol, en cambio, no pasa. Las condiciones empeoran, lo prudente sería tomar sobre Valmorel, pero me arriesgo a continuar con el viento de valle de la Tarentaise. Mi objetivo es alcanzar el Beaufortin, idealmente emplazado para un vivac.

Tengo prisa por acercarme al Mont-Blanc, punto de referencia siempre visible desde que domino los relieves. Se halla en el centro de las rutas aéreas que atraviesan los Alpes. Lo he bordeado en cada uno de mis vuelos, hasta el punto de hacer de él un familiar. Con el tiempo se ha convertido en mi punto de referencia en este inmenso jardín.

Mientras me empeño en domar una térmica reacia, el ala

encaja dos garrotazos sucesivos sobre el extradós. Cual riendas que se tensan de golpe al tirar bruscamente de los extremos, los cables se destensan y se tensan de repente. Me sacuden como a un ciruelo.

Sin avisar, el viento ha cambiado de dirección. En vez de remontar el valle, según su costumbre, desciende a toda pastilla. La ladera contra la que tropezaba, y en la que yo me mantenía, se halla de repente en plena marejada.

Con la barra en la barriga, perdiendo el máximo de altura, huyo sobre Moûtiers, que, ante mi sorpresa, no ofrece ningún terreno de aterrizaje. Casas, fábricas, río, carreteras, árboles, cables de electricidad y vías del tren ocupan toda la superficie de este cuello de embudo. Con la altura que estoy perdiendo, las posibilidades de encontrar pendientes vírgenes en los flancos también desaparecen, el bosque es omnipresente.

Malditos árboles, están por todas partes. Consigo mantenerme durante algunos segundos sobre Hautecourt-la-Basse, el tiempo de plantearme un arborizaje, a falta de nada mejor. De pronto, una curva cerrada en la carretera deja aparecer un minúsculo calvero rodeado de árboles agitados por el viento. No hay tiempo para dudas. Una trinchera de árboles me permite una aproximación más o menos correcta, pero el viento, soplando en mi espalda, complica la maniobra. La carretera está libre, por suerte. La rozo a lo ancho antes de frenar y parar el ala completamente. El contacto con la hierba es algo brusco pero no rompo nada.

Mil metros de espeso bosque me niegan cualquier posibilidad de despegue y me imponen un doble ascenso con todos los trastos a la espalda.

¡Adelante, camina!

Mirando hacia arriba, guadaña en mano, Xavier-François ha seguido la maniobra. Acude y se ofrece a guiarme hasta el albergue de Pradier, en la linde superior del bosque. Para demostrarme su gran conocimiento de los senderos, el adolescente me obsequia con algunos rodeos.

Con el ala en los hombros, piernas y torso desnudos, imposible defenderme, soy una víctima ideal para los mosquitos, agresivos por el calor sofocante. Se anuncia una tormenta proveniente del sur, explicación de la brusca inversión de los vientos en el valle. Llego al albergue calado hasta los huesos por la lluvia y el sudor. El ambiente es cálido, la mesa acogedora y puedo tomar un baño.

Marie-Noëlle y Robert, mis anfitriones, son agricultores y pastores. Cuidan con el mismo esmero a las cuarenta cabras y a los huéspedes del albergue, igual de numerosos.

Pradier revive gracias a ellos; hermosos terrenos, mayores cada año, son arrancados del baldío y la maleza. A fuerza de trabajo, estos antiguos ciudadanos, blanco de la desconfianza indígena, se han atrevido a concretar su sueño.

Las cosas no son de color de rosa, pero del esfuerzo, de la dificultad, de la naturaleza, han recibido una irradiación contagiosa.

No es un ejemplo aislado; gracias a estos nuevos colonizadores, a la vez pastores y agricultores, las aldeas como Granier, Valezan, La Côte d'Aime, y otras muchas en el Beaufortin, han resucitado y se expanden.

*
* *

De las tormentas que se han sucedido durante la noche sólo queda la humedad y una niebla que envuelve todo el macizo.

Entre los dos caminos que conducen al Mont Quermo, elijo el malo. Tras un corto ascenso que me da confianza, el camino empieza a descender y luego se pierde en el bosque. No puedo plantearme volver sobre mis pasos con esta voluminosa carga a la espalda; me parece que la solución menos mala es tomar un atajo a través de bosques y campos.

En algunos lugares, la hierba mojada me llega a las axilas

y me empapa. A las altas hierbas suceden raíces resbaladizas que me hacen caer cuan largo soy una y otra vez. Luego llegan los troncos de árboles muertos que hay que saltar mientras sus pérfidas ramas desgarran mi piel y la de mi ala, plegada para el transporte. Los cables se enredan en los tallos. Intento desliarlos moviendo el cuerpo, pero a menudo no me queda más remedio que dejar la carga para cortar las ramas. A este ritmo, tengo para todo el día.

Consigo salir del bosque y aparezco, en un estado deplorable, en el prado de Montgirod, donde trabaja Robert, el patrón frutero.

Se levanta a las 3h de la mañana y se acuesta a las 21h; es uno de los últimos queseros de la zona que producen el Beaufort, respetuoso con una tradición que él se empeña en perpetuar.

En el Mont Quermo descargo el ala con cuidado y me abandono a un sueñecito reparador, bañado por los primeros rayos de sol de la jornada.

En el camino del albergue se impone una breve parada, lo que tardo en tomar un jarabe y charlar cuatro palabras con Cristophe, Bruno y Thomas, el niño; vigilan los terneros. Felices ellos.

Para la merienda, me obsequio con fresas y suculentas cerezas silvestres no más grandes que el hueso de sus congéneres cultivadas.

Los ocupantes del albergue son jóvenes de todas las nacionalidades, trabajan de modo altruista para una asociación. Dedican sus vacaciones a trabajos manuales de utilidad pública, a menudo relacionados con el medio ambiente. Algunos de ellos vienen de los países del Este, refunfuñan un poco a la hora de trabajar; las obligaciones no cuadran con la imagen que tienen del capitalismo.
Antes de la cena, mi atento auditorio se apasiona con la aventura del vuelo vivac. Hablo de las alambradas. Están dispuestos a comprometerse en una acción de limpieza.

*
* *

El Mont-Blanc se halla a una decena de cúmulos. Puro trámite.

Esta noche estaré en Chamonix, con un poco de suerte quizá incluso en Suiza. Para asegurarme el tanto, espero las térmicas vitaminadas del mediodía.
Cristophe, el pastor de los terneros, se reúne conmigo. Él también aprendió a volar y observa mis preparativos con una chispa de envidia.

Tres pasos y el ala me transforma en peso pluma.

En vez de elevarme, ofrezco a mi único espectador el lamentable espectáculo de un extradós hundiéndose en las profundidades.

Sin comprender bien el fenómeno, cambio de vertiente para entrar en un circo calcáreo excepcionalmente expuesto a los rayos del sol. Me preparo para padecer el asalto de las turbulencias y las fuertes corrientes ascendentes. Nada, ni un soplo. Retengo el mío en un intento de hacer algo, para hacerme la ilusión de que así aligero mi carcasa. Pero hay una calma chicha, la nada integral.

Pienso en aterrizar para atajar esta pérdida de altura pero ya es demasiado tarde. El bosque ocupa todas las parcelas de terreno y me hace prisionero del valle del Grand Nant y de sus líneas eléctricas, en alta tensión, como yo. Esquivo la primera por arriba, la segunda por abajo. La tercera, que evito en el último momento, es la más perversa ya que se halla jalonada por postes. EDF* ha tejido una temible tela.

La carrera de obstáculos de alto voltaje no ha terminado; en el fondo del valle, coronando el pueblo de Grand Coeur, dos enormes líneas se hermanan y me obligan a dar un gran rodeo que pagaré muy caro en altura. La araña de la EDF ha omitido balizar algunas líneas. Perniciosa discreción que tiene en los pájaros sus primeras víctimas y que algún día sorprenderá a una presa mayor.

* EDF, siglas de la compañía de la electricidad en Francia.

Una vez franqueadas esas barreras de cables, me pego a la pared y a los árboles aprovechando lo mejor que puedo las ráfagas de viento con las que cuento poder evitar un aterrizaje cien metros más abajo. Una de ellas, virulenta, levanta enérgicamente el plano derecho y pone el ala sobre el cortado, empujándola contra el relieve. La falta de espacio no me permite acentuar el movimiento como haría falta para ganar una indispensable velocidad y compensar. Espero los últimos segundos y los últimos centímetros para empujar el triángulo y evitar un crash en la espesura.

Cuando me creía solo, brotó de la espesura y de un animal no identificado un grito de espanto, fuerte, agudo, cercano a una voz humana.

"Lo siento amigo, no eres el único que tiene sudores fríos."

Aigueblanche, Isère y la nacional se hallan a escasos cincuenta metros en la vertical. Se apretujan uno contra otro, apenas me dejan espacio para aterrizar. En las cercanías del estrecho de Moûtiers, en las ráfagas y las turbulencias, al fin encuentro algo con lo que frenar la pérdida de altura. Poco a poco, laboriosamente, gano trescientos miserables metros. Lucho más de dos horas en este agujero para llegar a una primera arista donde vuelvo a encontrar las dos líneas de alta tensión que descienden hacia Grand Coeur. Con la ayuda de una racha clemente, consigo al fin sobrevolarlas. Espero así alcanzar la cresta que lleva al Mont-Quermo, pero la esperanza ayuda a vivir, no a volar. Con la cola entre las piernas, me veo obligado a dar marcha atrás para retomar mi puesto de espera más allá de las líneas.

Estoy harto de estas ascendencias incitadoras que me dejan trepar durante tres giritos y luego desaparecen.

Las horas pasan sin que mejore mi escabrosa situación. El sol declina; dentro de una hora, el viento, las ráfagas y las térmicas se calmarán y no me quedará más remedio que aterrizar en el llano. Dos mil metros de altura se fundirán como la nieve al sol. No puedo resignarme a tener que reconquistarlos a pie. La travesía del valle no aporta nada. Al contrario, sobre la otra vertiente, las turbulencias son doblemente violentas. En último extremo, intento el todo por el todo y me dejo llevar por el viento que se cuela por el estrecho de Moûtiers. Por debajo, los tejados y las chimeneas desfilan a gran velocidad.

Desde hace dos días, los terrenos de aterrizaje no se han multiplicado, tengo justo el suficiente margen para engancharme a los primeros contrafuertes sur que dominan la ciudad y sobre los cuales el viento llega canalizado. A la altura de las habitaciones de un hotel, consigo al fin remontar sin que me dé tiempo a fisgonear.

Después de algunos kilómetros y una hora de vuelo, Notre Dame-du-Pré me niega sus magníficos prados, detrás del pueblo. A pesar de mil y una reverencias a la altura de los tejados, no consigo sobrevolarlos. A cambio me ofrece un minúsculo campo, en una pendiente bordeada de árboles, bajo el azote del viento. Lo tomas o lo dejas, el próximo terreno está trescientos metros más abajo. Aterrizo. La maniobra es poco elegante, muerdo el polvo y las flores del prado, apreciando las ventajas de un casco integral. El ala amortigua el choque y sale indemne.

Triste balance. Después de más de cuatro horas de vuelo, y qué vuelo, he retrocedido diez kilómetros, con, encima, la perspectiva de un transporte de más de mil metros de desnivel. Agotado, desanimado, tengo el flaco consuelo de encontrar un hotel anodino. En él me refugio, me doy un atracón y me duermo.

Mañana será otro día, afortunadamente.

*

* *

Demasiadas agujetas para dormir bien. A las 4h 30' dejo mi mullida cama para atacar el Mont-Jovet, ala en V a la espalda.

Entre dos interminables ascensos, un sabroso plato de espaguetis me devuelve las fuerzas y la sonrisa.

Mi moral ha presenciado un eclipse, pero el sol ha regresado y prepara las térmicas. A las 15h, el ala se abre en la hierba verde de un terreno ideal para el despegue.

El Mont Saint-Jacques, por encima de La Plagne, es famoso por sus ascendencias. Está a vuelo de planeo del Mont Jovet. Situado sobre la vertiente noroeste, escarmentado por la desgracia de ayer, espero las condiciones óptimas para despegar. Una vez más, el cielo y el Mont Saint-Jacques no cumplen sus promesas. El lugar, normalmente poblado de parapentes y alas delta, está desierto; los pájaros baten las alas pesadamente; no hay ninguna ascendencia, ni un pedito de viento que suba por el valle. Estoy desconcertado, empiezo a no comprender nada de estos fenómenos aerológicos.

Agotado, la moral de nuevo en los calcetines, aterrizo catastróficamente en La Roche, al pie de la pista artificial de *bobsleigh*.

Anticipando un aterrizaje en Suiza, gasté las últimas monedas francesas en el Beaufortin; sin dinero, hundido, desengañado, bebo un enorme jarabe de menta en el bar del *bob*, sin saber cómo pagaré la cuenta. Monique, la amable camarera, me lo regala con una sonrisa como prima.

El buen humor regresa definitivamente con Guy, deltista profesional de La Plagne. Me ha seguido con los prismáticos, intrigado por esa ala delta aterrizando en un campo minúsculo. Un picnic improvisado emerge de las alforjas. Entre dos rodajas de salchichón y un trago de Burdeos, Guy me da una explicación lógica de este execrable escenario meteorológico: un aire marino del sur se eterniza, aportando calor y humedad en altura. Eso crea un fenómeno de inversión de las temperaturas. Inversión, la palabra anda suelta. Es a las térmicas lo que la bala de escopeta a la caza, mortal. Después de la lluvia, las tormentas, la nieve, la niebla y el mistral, sólo faltaba ella para completar el cuadro de dificultades.

Hasta donde alcanza mi memoria de piloto, nunca había encontrado condiciones tan malas durante un periodo tan largo. Me están forjando el carácter. Me he hecho con una tenacidad de hormiga y unos músculos de cabra montesa que pondré a trabajar inmediatamente para llevar a cabo el primer transporte del material ligero, veinte kilos de accesorios, en el Mont Saint-Jacques, novecientos metros más arriba. Será todo por hoy. Mañana transportaré mi ala, abandonada en la cuneta sólo durante una noche demasiado corta.

Me acuesto en un campo, en el pasto del Arpète, cerca de las vacas y del corral, totalmente aislado del mojado suelo por grandes bolsas de basura que nunca olvido llevar.

*

* *

Para evitar atravesar el enorme roquedal en que se ha convertido La Plagne con un ala a la espalda, emprendo el camino señalizado de blanco y rojo, signos distintivos de los senderos pedestres.

Fatal iniciativa.

En el país de la mecanización total, esta señalización ya no corresponde a nada. El sendero desapareció con las promesas de los elegidos; el baldío, la hierba alta, las ramas muertas y los árboles desenraizados lo han invadido todo.

La estación dispone de una pista de *bobsleigh* impracticable, fabricada a base de millones y toneladas de amoníaco, pero no tiene medios para conservar un modesto camino.

En este monte, tengo todo el tiempo del mundo para maldecir semejante absurdo olímpico.

En la pendiente inclinada, el chorreo del agua crea terrenos pantanosos. Me hundo hasta media pantorrilla en un barro que hace ventosa. Cuando intento sacar un pie, el otro se hunde todavía más. Con el peso suplementario del ala en los hombros, no consigo salir; maldigo al perfecto imbécil que ha trazado estas señales de pista omnipresentes en los árboles.

Pasadas las ventosas, los desprendimientos que encuentro al final del ascenso son una alfombra de terciopelo.

Guy y Annick no faltan a la cita en el lugar de despegue. Un detalle simpático, no han olvidado el picnic. Las condiciones de vuelo son las de ayer y las de los días anteriores. No merecen que renuncie a una tarde de descanso.

*

* *

Salgo a pesar de la suavidad de las condiciones, gano doscientos metros con dificultad y emprendo la dirección de los Arcs, a donde llego a la altura de las crestas. Pilotos de parapente despegan sin conseguir conservar altura. Tengo la ventaja de estar más alto y de beneficiarme de las menudas ascendencias que soplan en cada una de las dos vertientes. Cinco alas delta aguardan en tierra hipotéticas térmicas. Prosigo mi ruta en dirección al puerto del Petit

Saint-Bernard, sobrevolando Isère por encima de Bourg Saint-Maurice.

Detrás de la estación de La Rosière, unos tiradores se entrenan al tiro al plato. Para evitar que me tomen por una paloma de arcilla, les hago grandes gestos camuflados de saludos. Su respuesta no deja lugar a equívocos, están deseando que me largue. Forma parte de mis planes, pero no sin antes explorar la ascendencia que se encuentra justo en la orientación de su rampa de lanzamiento. Era de esperar, la térmica es un colador agujereado por las balas. Los vencejos me indican otra, sobre una línea de alta tensión. Voy volando.

Los fusiles disparan, los platos estallan, los vencejos dan vueltas, yo giro. En la efervescencia, mucho más abajo, un águila hace lo propio; se acerca.

Los puntos blancos de sus alas y de su cola me hacen suponerle una corta edad que se contradice con una imponente envergadura de más de dos metros. La mía, cinco veces más grande, no le inspira temor ni agresividad.

Es el décimo encuentro desde que dejé la Costa Azul, y cada vez siento la misma emoción al ser admitido en su estela real.

Hace mucho tiempo que las alas delta fueron adoptadas por las águilas, pero no siempre ha sido así. Diez años atrás, alguna de ellas me atacó, como a tantos otros pilotos. El incidente no revistió mayor gravedad pero me quedó el triste sentimiento de no ser querido por estos pájaros reales.

De entonces hasta ahora las cosas han cambiado; los jóvenes no conservan la irascibilidad de las viejas generaciones, han podido comprobar la inocuidad de nuestras intenciones. A menudo volamos en simbiosis, a veces, privilegio supremo, nos reciben con piruetas de bienvenida.

El águila de hoy tiene aspecto más bien serio, sin duda se siente un poco ofendida por tener a alguien por encima de su cabeza. En dos o tres giros me meto en el núcleo de la ascendencia, tengo la impresión de mantener la distancia que nos separa, pero a cada una de mis torpezas la distancia disminuye. Para ella todo es fácil; las imperfecciones de la térmica son corregidas inmediatamente con el juego de sus alas, de sus plumas o de su cola; mientras que yo sólo dispongo del efecto de balanceo de mi cuerpo para influir en mi ala delta. Llegada a mi altura, me observa tranquilamente. Volamos de común acuerdo durante tres o cuatro segundos; momento inolvidable y furtivo que echo a perder estúpidamente al querer inmortalizar la escena con mi cámara de fotos. Me adelanta.

La vela, encima de mi cabeza, me impide ver y seguir sus espirales perfectas. Al fin reaparece, alas replegadas, desfilando como un obús sobre Italia. Sin la menor sombra de arrogancia, me deja en esta térmica que ya pierde su potencia.

Imposible sobrepasar la cota de 2.220 m de altura, me harían falta quinientos metros más para franquear el puerto que se halla un kilómetro más allá.

En la vertiente de enfrente, bajo el Mont-Clapey, un rebaño de vacas pace en verdes prados soberbiamente orientados al sol. El lugar es ideal para vivaquear y despegar mañana en las mejores condiciones.

En el pasto de Prariond trabaja Xavier, a quien sorprendo en pleno ordeño. Me recibe con una sonrisa y leche templada, me encanta, recién salida de la ubre de la vaca. Antes de reunirme con él en la cabaña, subo mi ala al Mont-Clapey para tener un máximo de posibilidades, mañana, de atravesar el puerto. Entre los pequeños lagos de la cumbre y los neveros, encuentro, con agrado, los primeros edelweiss y, con desagrado, las alambradas. Redes completas a lo largo de varios cientos de metros, jalonadas de imponentes postes de hierro que el hormigón ancla al suelo para la eternidad, encierran a la flora con toda la estupidez humana.

En la cabaña de Xavier, contigua al establo, compartimos la sopa de leche y espaguetis. El sol riega con sus últimos rayos la presa de Tignes, al fondo del valle de Isère. Desde la ventana revivo este último vuelo: La Rosière, su águila y su tiro al plato, los Arcs y sus anónimos pilotos de vuelo libre, el Mont Saint-Jacques que no ha cumplido sus promesas y el adiós con la mano de una niña entre los rododendros.

A mis anfitriones les cuesta imaginar que he venido de La Plagne por los aires. Del mar todavía menos. Está tan lejos...

Cuatro enormes camas antiguas ocupan el único dormitorio de la casa, lo compartimos. La habitación es cálida, acogedora, auténtica, a imagen de sus ocupantes.

*

*   *

El tiempo, como en los días anteriores, es perfecto, al contrario de las condiciones de vuelo.

Los cúmulos tienden a deshilacharse, a ablandarse bajo el efecto de las masas de aire caliente provenientes del sur. En vez de levantarse orgullosamente como de costumbre, capaces de llegar a la luna cuando se enfadan, dormitan y ondulan haciéndome la tarea imposible.

Navego sobre el Mont Clapey sin saber dónde encontrar ascendencias; encuentro algunas, pequeñas, al norte, al oeste, al sur; ninguna lo bastante seria como para permitirme abandonar serenamente este maravilloso lugar. Para pasar el puerto del Petit Saint-Bernard, en la prolongación de la cresta me faltan quinientos metros que no sé de dónde sacar.

Avanzo como puedo, sin ganar ni perder altura, y encuentro pronto a mi real compañera del día anterior. Aguarda, con las alas bajas, sobre una roca. No aprecia demasiado la promiscuidad, en cuanto me acerco, sale volando y desaparece con un pesado aleteo. Está claro que las térmicas no asisten a la cita.

Abordo el puerto con una buena dosis de optimismo pero muy poca altura. Tan sólo pasan mis ilusiones. Me veo en la obligación de aterrizar frente a la terraza del bar de Lancebranlette, a unos pasos de la aduana francesa y de un vendedor de jamones. Guardo el ala en el parking, entre las caravanas y los camping bus.

Bénédicte, la bonita camarera, me sirve una horchata. Observando mi aterrizaje, ha recordado el programa de televisión Ushuaïa que presentaba, hace ahora dos meses, mi película sobre el vuelo vivac. Siento que mi aureola se agranda.

Como propina, un edelweiss; Bénédicte, emocionada, me sirve otro vaso.

Entre la sublime imagen del hombre volador radiante bajo su tensa vela, y la del humillado reptil transportando sus bártulos, sólo hay una puerta de bar que tendré que atravesar dentro de unos momentos. ¡Arriba esos ánimos!.

Paso la aduana a pie, una vez no crea hábito.

En el Mont Touriasse, de camino al Chaz Dura, cerca de un ibón que domina el lago del Petit Saint-Bernard, construyo mi nido en los pliegues del ala.

*
* *

Al oeste, la Tarentaise se ahoga bajo un mar de niebla, mientras al norte el Mont-Blanc emerge de la masa nubosa. Al sur, en las puertas del Parque Nacional del Grand Paradis, el glaciar del Ruitor despliega su cola de pavo real, a la que un bosque, sumergido en la sombra y las profundidades, hace cosquillas.

A un lado de la frontera pacen las vacas negras "valdôtaines", al otro, a tiro de piedra, las "tarentaises", de piel marrón claro. Un puerto, una barrera y cambia el clima, los animales, los hombres y las mentalidades. Únicamente las condiciones de vuelo se mantienen inmutablemente mediocres. La inversión persiste e impide el desarrollo de las térmicas.

A pesar de todo, despego.

El viento que desciende por el glaciar y el que sube por el valle de Aoste cargan contra mí por encima de la bien llamada La Thuile*, para dejarme, zarandeado y confuso,

* *Tuile* ("Teja") en lenguaje coloquial se utiliza para hacer referencia a la posibilidad de una desgracia, como la teja que cae sobre la cabeza de alguien.

cerca del pueblo de La Balme, unos pocos kilómetros más lejos. El cansancio y el calor sofocante son malos consejeros, dejo que una siesta a la sombra de mi ala, a su vez a la sombra de un avellano, se ocupe de atenuar sus efectos negativos. En cuanto el sol pierda sus ardores, habrá que caminar, trepar, sudar una vez más. Una cabezadita transforma este tormento en paseo.

Emprendo el ascenso. A las 18h, termino de pagar el primer plazo de mil metros de transporte.

Con estas caminatas obligadas, he aprendido a tomar las cosas, buenas o malas, tal como se presentan. Cuanto más avanzo, más me parece que el esfuerzo y el placer forman una pareja indisociable. De este acoplamiento nace una intensidad, una profundidad. Con el tiempo, el esfuerzo se atenúa y el placer se acentúa.

Una vieja cabaña de piedra abandonada, idéntica a los "îtros" de mi Valais natal, cierra la entrada al valle salvaje de la Yula. Junto a ella, un río ancho y somnoliento deja correr sus últimos instantes de paz antes de lanzarse, con furia y cascadas, en los abismos del valle. A lo lejos, un circo de hierba subraya de verde las nieves del Mont-Blanc. Ahí está mi jardín, al alcance del ala.

La distribución de la cabaña se limita a una albarda de mula, una trampa para zorros, oxidada pero funcional, algunas cagadas de cabra y un viejo colchón colgado de una cuerda para protegerlo de los roedores. Lo suficiente para satisfacer mi felicidad ante la amenaza de la tormenta.

A paso de carrera, por temor de no encontrar mis cosas en la oscuridad de la noche, cabalgo por el camino inverso.

A medianoche, al fin puedo disfrutar del amparo del colchón, el cansancio lo hace todavía más confortable.

Acabo de efectuar uno de los transportes más largos de mi carrera; esta tarea se está convirtiendo en algo casi banal. Olvido la carga y dejo que mi mente se pasee por los meandros del bosque. El esclavo se convierte en excursionista y sonríe al futuro.

Los sueños y los proyectos se atropellan en mi mente; los osos de los Pirineos se cruzan con los de los Apeninos y los de Ouzbekistán; la flauta de pan de los indios andinos responde al bandoneón argentino; los silencios de Bután despiertan a los yetis del Himalaya...

Si soy capaz de alcanzar cualquier cima a pie, si puedo sobrevivir por todas partes adoptando esta filosofía de vagabundo, todos los viajes, todas las aventuras están al alcance del ala. El vuelo vivac todavía balbucea. Mañana, con un material más ligero, aún de mayor rendimiento, los locos proyectos perderán su locura, como la luna su virginidad.

*

* *

La niebla otorga a este lugar un aire de soledad y abandono confirmado por la presencia de altas ortigas ante la puerta. Después de un principio de verano pasado por agua, el otoño, ya, se equivoca de fechas. Como dice François, pastor de la Salette, el tiempo no se sabe las estaciones de memoria.

Un viento no identificado da fuertes escobazos al gris opaco de la niebla y devuelve su omnipotencia al brillante verde. Paciente, el sol espera que acabe la limpieza.

En vista de la bonanza de las condiciones, la veleidad de las térmicas y mi lozanía, me marco cuatrocientos metros suplementarios de transporte para poner toda la suerte de mi parte.

Prefiero enfrentarme al fuerte viento del valle de Aoste con la máxima altura.

En las ciénagas de La Plagne, creí haber alcanzado el máximo de las dificultades. Hay peor: la hierba alta y las piedras lisas de una pendiente inclinada regada por hilillos de agua. Las ventosas ceden paso al tobogán, resbaladizo y peligroso. En la primera caída me golpeo con una piedra; el dolor es inmediato pero afortunadamente sin consecuencias. Luego me caigo patas arriba y me encuentro dos metros más abajo, aguantando el ala, desarmada y en el suelo, sólo por un extremo. Tengo suerte; de no haber podido pararla hubiera rodado cuesta abajo hasta el río, doscientos metros más abajo. El ala sale indemne, pero mi mano derecha sangra por un dedo despellejado. Me cuesta un pequeño susto y un derroche de energía salir del apuro, mitigado por un gran ramo de edelweiss resplandecientes. La liberación está a unos metros.

El viento da sus últimos escobazos y se marcha dejándome el campo libre para despegar.

Acometo, conquistador, el valle de Aoste, que conozco bien por haberlo sobrevolado a menudo. Al cuarto de hora, me encuentro vencido en el suelo, en Dolonne, cerca de Courmayeur. Esta maldita inversión me condena a la mediocridad. De haber podido prever, antes de mi salida, que las condiciones meteorológicas iban a tratarme tan mal, hubiese renunciado al proyecto, juzgándolo imposible. La suerte de los aventureros está en ignorar el precio de la aventura.

Dos triciclos de carga se acercan. Bajan tres campesinos, dos hombres entrados en carnes y una mujer enjuta, de arrugas pronunciadas. Tras una charla que satisface su legítima curiosidad, se van al campo vecino, el gesto lento, el espinazo curvado por el peso del rastrillo, la edad y la tradición.

Plantado en medio del valle de Aoste, a 1.200 m de altitud, con cincuenta kilos de material para izar hasta las cimas, tengo un problema gordo por resolver: qué camino emprender.

El agobio de la elección: el Mont Chétif, a ocho horas de camino, el Mont Saxe, a nueve horas, o el Pavillon du Mont Fréty, a once horas.

El Mont Chétif debería bastar a mi dolor, pero empiezo por echar un sueñecito para suavizar el golpe y reordenar las ideas.

La siesta me recompone. Once horas de caminata ya no me asustan. Pero eso será mañana. Hoy tengo cosas mejores que hacer.

El teléfono no está lejos, Ginebra tampoco. Dentro de sesenta minutos estará aquí.

En el bar "Sciatore" (el esquiador), me reúno con aquella a la que conocí años ha en una pista de esquí. Ante una exquisita "polenta valdôtaine", saboreamos el placer de estar ahí. Se ha hecho hermosa. Sus grandes ojos azules, embrujadores y seductores, resaltan en un rostro dulce y sereno. Me subyugaron, y la cosa empieza de nuevo. Del brazo, como hace veinte años, descendemos hacia el hotel "Villa Maria".

La alegría del encuentro justifica todas las separaciones.

Para ella he guardado mis más bonitos edelweiss, esos que los pastores llaman, tan tiernamente, los Inmortales de las Nieves.

*

* *

Invitado por el cielo, despego.

Los cúmulos echan brotes pero siguen sin cumplir sus promesas. Imposible subir. Sin embargo, puedo pasear por los parajes y cuando estoy demasiado bajo coger una ascendencia por encima de la entrada del túnel del Mont-Blanc. La configuración del terreno, la exposición, el obstáculo que forma la montaña al viento de valle, todo contribuye a la formación de las burbujas térmicas, tan frecuentes en este lugar que crean un flujo continuo.

Alrededor la situación no es tan favorable. Un primer intento de huida hacia los grandes espacios y la libertad me llama a la prudencia. No es momento de irse al suelo. Afortunadamente, la pompa del túnel es fiel. Un segundo intento me lleva cerca de una pared rocosa que la calma ambiental me permite acariciar con la punta del ala. Asustados, dos rebecos huyen a reunirse con otro montón de congéneres en plena fiesta familiar. Jóvenes, viejos, machos, hembras, todos están ahí, con la cabeza erguida, observando esta especie de pterodáctilo. Algo más lejos, en la escotadura de una roca, una pareja se abandona a las carantoñas, ignorándome.

Pero la discreta ascendencia que me aguantaba se cansa y desaparece. Abandono la escena por abajo para volver a mi térmica de servicio, ahora ocupada por dos parapentistas. Ellos tampoco tienen motivos para pavonearse, después de dos horas de vuelo estacionario van a posarse al parking de Entrèves. Me quedo en las alturas y aterrizo cerca del Pavillon du Mont Fréty.

Para evitar encontrarme mañana en la misma situación, subo mi ala cuatrocientos metros más arriba.

¿Atraparé una térmica? ¿Se formará a izquierda o a derecha. ¿Se desviará a causa del viento?. Estoy algo estresado, aunque aparentemente tengo todos los triunfos en la mano. A 2.600 m, la altura es ideal, la orientación, cara al sol, también. Es cierto que a la altura de las cimas está ese viento de oeste, pero donde me hallo el viento no afecta.

En tres pasos, salgo volando. Después de algunas dudas, consigo meterme en la primera térmica potente. Me alza a más de cinco metros por segundo, en un circo glaciar donde desfilan séracs, grietas y rocas. El vario grita de alegría, yo también, aferrado a la barra de control. La estación superior del teleférico mengua. El ascensor no se detiene y me lleva a la nube, a cerca de 4.000 m. El espectáculo es grandioso.

La Vallée Blanche, acordonada por una miríada de agujas, aristas y bóvedas, descubre sus encantos. Los glaciares del Géant, del Tacul, de Leschaux, de Talèfre, se derraman en el mar de hielo que se abre sobre el valle de Chamonix. Desde donde estoy podría llegar fácilmente planeando.

Hace dos días me arrastraba por las profundidades; ayer me estanqué en el purgatorio; hoy estoy propulsado al séptimo cielo, como un tapón de champán. Las burbujas están por todas partes, basta con meterse en el interior y dejarse alzar.

En esta sinfonía, tengo que calmar mi euforia. Mi cámara de fotos se niega a cooperar mientras el cúmulo está pensando en aspirarme; arreglo la primera y huyo del segundo, el viento de oeste empieza a dar latigazos por todos lados.

Después de la aguja del Géant, asedio a las ascendencias de las Grandes Jorasses. Una vez en el techo, me abalanzo hacia el puerto Ferret y la frontera italo-suiza, pasando a sotavento del Massif. La descendencia es vertiginosa, mi variómetro grita a muerte.

Una vez he atravesado el puerto por los pelos, no consigo detener la pérdida de altura. Para evitar la catástrofe que supondría un aterrizaje en el fondo del valle, me veo en la obligación de tomar cerca de una cabaña en un pastizal a 1.700 m.

En unos minutos he perdido tontamente más de dos mil metros; probablemente hubiese podido conservarlos cambiando de vertiente.

Son las 15h, me da tiempo a subir mi material cuatrocientos metros más arriba para poder despegar de nuevo. Desde allí, con un poco de suerte, podré alcanzar por planeo el pueblo de Orsières y su famoso "pepinazo". En este lugar, la montaña obstaculiza el paso al fuerte viento de valle que se establece a partir de mediodía, cuando el sol es achicharrante. El primer pepinazo me propulsará hacia las alturas colgado de un trozo de tela.

Trepo a paso de carga y despliego mi ala delante de unos pastores sorprendidos ante semejantes prisas. Despego con viento cero, en un terreno irregular que me impide correr con todas mis fuerzas para coger la velocidad máxima. Tras los rododendros y las margaritas rozo el límite y un techo de uralita, como un imbécil de dos dedos de frente.

La térmica de servicio, sin embargo, es puntual. La pompa, cogida por los pelos, es fiel a la cita.

En algunos minutos, hago techo. Sólo una cadena montañosa, fácil de rodear por Champex y el Mont Catogne, me separa de Verbier, donde cuento con sorprender a algunos amigos. La hora avanza, el sol declina, amenaza tormenta, es una carrera contra reloj; de esas que creía poder evitar con una razonable administración del tiempo.

La lección no se hace esperar. Un frente de tormenta se derrama sobre el macizo del Mont-Blanc, invirtiendo el viento de valle. En último extremo, dándome cuenta del fenómeno, regreso precipitadamente a mi pompa. Demasiado tarde. Aterrizo encima de Orsières. ¡Acojonado!

Con las alas desplegadas, estoy en una ladera muy inclinada, totalmente cubierta por una espesa capa de arena disimulada bajo matas de hierba. Pongo todas mis fuerzas en subir los veinte metros que me separan de la gravera. Después de las ventosas de La Plagne, el tobogán de La Tête des Vieux, saboreo durante veinte largos minutos el calvario de las pendientes de arena fina…

Aquí estoy, obligado a cobijarme en una garita de tablas para protegerme de la lluvia, cuando donde tendría que estar es con los pastores, en lo alto de la montaña. El vagabundo se ha esfumado, el competidor, mi alma dañada, ha regresado, fanfarrón, a ocupar su lugar. Veinte años de reinado no se borran tan fácilmente. Empiezo a conocer el mal tan bien como el remedio. Romper el cronómetro, no correr, darle una patada en el culo al fanfarrón.

No estoy orgulloso de mí.

Antes hay que pagar factura. Es excesiva. ¡Habrá que andar!
En el albergue del pueblo es la fiesta nacional del 1º de agosto. A pesar de los fuegos y los petardos que estallan por todas partes, incluso bajo mi ventana y en el interior de la taberna, me duermo como un tronco.

*
* *

En el Hôtel de l'Union, el despertador suena a las 4h.

Entre un pequeño transporte de trescientos metros, sin garantía de poder dejar Orsières, y otro de mil cuatrocientos metros que me permite despegar en el valle de Verbier, elijo, sin demasiadas dudas, el segundo. Pagaré caras las tonterías.
Entre dos ascensos, me abandono al vagabundeo en medio de las frambuesas y las grosellas de los huertos cerrados de Reppaz, antes de beber un litro de leche fresca y tibia en el prado del Six Blanc.
A las 15h 30, después de once horas de esfuerzos, al fin despego. Las condiciones se revelan excelentes. Por aquí por allá aparecen alas delta y parapentes procedentes de

Verbier, donde se prepara una gran competición. Las manchas multicolores se multiplican; están por todas partes, en el suelo, en los valles, cerca de las paredes, en las cimas, bajo las nubes. Dos grandes cuervos me indican el núcleo de la térmica, cerca del Petit Combin, el cual poco a poco deja que aparezca su hermano, Le Grand, tan blanco como él.

Pero el valle del Ródano me tiende los brazos. Sólo una cresta me separa de él.

Al pie del Mont Fort, una enorme cabra montesa macho, reconocible por sus enormes cuernos canalados y su barbita, reina sobre los once miembros de su manada y vigila el lugar. Ante mi aproximación, se mantiene sereno; no merezco una alerta, apenas un cabeceo, y aún aprovecha para rascarse el lomo con sus largos cuernos.

Sobrevuelo en sentido contrario y en menos de dos horas la carretera que tardé 17h 45' en recorrer, con esquís y sin interrupción, con mis amigos Girod y Robert-Tissot. Saliendo de noche de la falda del Cervin llegamos al alba a la Tête Blanche, donde a duras penas se soportaba el viento helado. Hoy, por el cielo, todo es sencillo.

En un agradable frescor, a la sombra de los cúmulos, los recuerdos desfilan.

Haciendo camino en la comodidad de una ruta conocida y sembrada de térmicas, me da tiempo a contemplar este magnífico cantón de cincuenta cimas de 4.000 m que es el mío.

El cielo se ha oscurecido, amenaza tormenta. Desde que

despegué, he volado con el arnés abierto en las piernas; la cremallera ya no soporta el excedente de peso indispensable a los vivacs. Después de once horas de marcha y tres horas y media de vuelo, empiezo a sentir el cansancio.

Aterrizo en Signalhorn, a 2.600 m, en el Turtmantal, alto Valais. En esta montaña, desnuda y desolada, tengo la impresión de estar en el fin del mundo, y la idea no me disgusta.

Caída la noche, me deslizo en los brazos de mi ala, escucho algunas canciones nostálgicas en mi minúscula radio y me duermo, feliz. Desde hace dos días, las condiciones meteorológicas se han convertido en lo que un piloto de vuelo libre tiene derecho a esperar del verano. ¡Por fin!

Al sur llueve. Ruego al cielo que no arroje sus lágrimas sobre Italia. Ya he pasado por ello.

*

* *

Noche cerrada, profunda, reparadora.

En la hierba, a la intemperie, en el heno de una granja o en las tablas de una cabaña, duermo como un bebé después de mamar. Los cencerros de las ovejas puntúan mi sueño con un gran signo de interrogación. ¿Carneros u ovejas? Sus cuernos hacen que me incline por los primeros, su número y la presencia de corderos, por los segundos. ¿Se camuflarán los dos sexos bajo una misma apariencia? Su largo pelaje beige impide cualquier comprobación. Las puntas de sus patas son negras, como su hocico, aureolado por una greña más clara, rizada y abundante de la que emergen dos orejas negras coronadas por cuernos retorcidos con forma de acento circunflejo. Tienen un aspecto orgulloso. Aunque, en estas alturas que les pertenecen, han retornado al estado salvaje, no parecen molestos por mi presencia. Sin demasiada dificultad, consigo acercarme y acariciar al más grande, llegando, por exigencias de la foto, a poner mi gorro rojo en su pelambrera, cosa que no le hace demasiada gracia. Me honra el privilegio de esta buena acogida por parte de ovinos de reputación más arisca. Con mi cara marcada, ennegrecida por la grasa y el moreno, mi barba y mi pelo desgreñado, quizá me tomen por uno de los suyos.

Algo acuciado por el programa del día, mal que me pese tengo que poner punto final a este bucólico encuentro.

No hay agua en este desierto de altura. Tras una inspección con los prismáticos, la fuente más cercana queda a dos horas de camino. Es demasiado. El rocío depositado en el ala calma la primera sed pero no me permite guardar provisiones de este indispensable líquido. Paso a la cara norte, donde algunos restos de nieve no acaban de morir. La nieve funde sobre la piel de gamo de mi bota vasca, entonces, con precaución, hago que el agua entre en la cantimplora de ciclista que llevo siempre en vuelo al alcance de la mano. La operación me lleva una buena media hora.

Al otro lado del valle del Ródano, bajo el Mont Bonvin, distingo claramente, con los prismáticos, mi casa de campo, en un gran calvero en el límite superior de los bosques. Está abierta a la gente de paso. Las botellas de la bodega van y vienen al capricho del humor y los visitantes.

Debajo, la chapa de un coche me hace guiños. Mi amigo Algé está en su casa. A un bosque de allí, los anteojos se zambullen en el apartamento de mi querida mamá. Probablemente se encuentre en él.

Una pareja de águilas corona la cima con sus circunvoluciones; es la señal del despegue, confirmada por un planeador.

La ruta está trazada; remonto el Ródano. En las alturas de Brig hay una pompa de las llamadas térmica de servicio, conocida por todos los volátiles del mundo. El ascensor está asegurado, raras veces se avería. Basta con apretar el botón correspondiente a la altura deseada.

Pulso el número 4 y, con alborozo, a más de siete metros por segundo, me dejo arrastrar por el centro del núcleo y me pongo a cuatro mil metros. En pleno corazón de los Alpes, el horizonte se hunde, glaciares y cimas surgen por todas partes, l'Hospice du Simplon se allana, Brig desaparece. Alucinante.

Al salir de la térmica algunas vigorosas turbulencias me devuelven a la realidad. Al sur, Italia se ha vestido de negro, velada por la lluvia, mientras al norte el cielo es de un azul límpido; entre los dos, a lo lejos, nubes lenticulares hacen de unión y mantienen en mí la duda.

Imantado por la belleza de la lengua glaciar de Aletsch, con el pretexto de un riesgo de lluvia, salto y atravieso el valle para aparecer en Fiesch, uno de los lugares más famosos de vuelo libre de Europa. En Kühboden, donde aterrizo, podré beber, comer, telefonear y sobre todo lavarme.

*

* *

Un frente frío bienvenido atraviesa los Alpes y me regala un día de vacaciones.

Este enfriamiento de las temperaturas entre dos periodos de buen tiempo es de buen agüero; las variaciones propician el desarrollo de las térmicas. Sólo me queda esperar, en el confort de un hotel de montaña, que el cielo se digne a organizar bien la continuación del viaje.

Aprovecho esta tregua para dar algunas noticias a la prensa. A primera hora de la mañana, tres periodistas se reúnen conmigo para hacerme algunas fotos y una entrevista. Por teléfono, participo en dos emisiones de radio. En una y otra, pilotos de vuelo libre me increpan y me hacen mil preguntas.

A la dulce soledad de las últimas semanas sucede la efervescencia. Estoy disponible, sediento del deseo de compartir esta maravillosa aventura, orgulloso de la imagen que se desprende de mí, henchido en mi ego. Para impresionar a mis interlocutores, tomo una cinta métrica y calculo las distancias recorridas, como si semejante viaje pudiera resumirse en kilómetros. Es necesario unir varios mapas para seguir la ruta. Excitado, durante unas horas vuelvo al lenguaje de las prestaciones, los clichés del competidor, las expresiones de la gente con prisas, condenada a sobrevolar las cosas e impresionar a su interlocutor.

El mundo se da la vuelta. Estoy encerrado en una térmica que ya no controlo. El ala ya no está ahí para sostenerme, el vagabundo tampoco. Aguardan en la montaña mi regreso a la esencia.

*

*   *

"Una fisura en su obra había permitido el drama, pero el drama mostraba la fisura, no probaba nada más. (...) Una vez trazada la ruta, no puedes dejar de recorrerla".
Vol de Nuit. Antoine de Saint-Exupéry

Kühboden, 5 de agosto 1992

La reputación de Fiesch no es ilegítima. Las condiciones de vuelo son notables en un paisaje excepcional que se saborea con ojos de pájaro. La belleza del espectáculo sólo se muestra íntegramente ante los pilotos a los que no les asusta la altura.

A tres mil metros, el más majestuoso de los glaciares, Aletsch, aparece en todo su esplendor. Su larga lengua, a rayas negras, nace en la blancura de las nieves eternas, forma un codo en las paredes grises del Eggishorn y muere en el verdor del fondo del valle.

A partir de cuatro mil, Su Majestad descubre sus señoríos a las miradas privilegiadas: en la parte de las cumbres, los imponentes glaciares Erwigschneefeld, Jungfraufirn y Aletschfirn se reúnen en una Plaza de la Concordia mil veces más grande que su homónima y la coronan con un trirreinado. En la parte curva, el Mittlerer y Oberer Aletschgletscher, acantonados por enormes circos rocosos, se cuelan por dos estrechos embudos y se enganchan a su vientre. Al oeste, uniéndose a la curva, el Fieschergletscher se ve condenado al papel de paréntesis. En otros lugares sería famoso, como la decena de glaciares de alrededor, impresionantes pero anónimos.

Por todas partes vuelan enjambres de hombres pájaros. Sentados en un balancín o tumbados en un arnés, hacen espirales, suben, marcan todos los pisos de la invisible ascendencia que se adivina en la progresión de los puntos multicolores. Llegados a la nube, se enganchan a ella, se esparcen, desaparecen, reaparecen. El cielo gris desborda de velas que se desplazan en silencio, como embrujadas por la magia de esa energía suave que las hace subir. Es una fiesta impresionante. Veleros y chovas se unen a ella. En todas partes se vuela.

Sin tregua, la térmica se alimenta de recién llegados. Me toca a mí bañarme en la multitud y participar en el cortejo.

Por última vez, fotografío el glaciar de Aletsch y luego me dejo arrastrar por el cortejo de alas delta y parapentes.

Cada nube es un aspirador. ¡Qué cómodo es avanzar en estas condiciones!

A pesar de ello, no estoy concentrado en lo mío. Vuelo mal. Mis sensaciones son desacostumbradas, mis decisiones están influenciadas por todas las alas que me rodean. Tan pronto son amigas que me indican ascendencias, como contringantes a las que hay que adelantar, por reflejo y por juego.

En el puerto de Grimsel, la mayoría de los pilotos han dado media vuelta. Algunos valientes que no se amilanan por un techo bajo, intentan pasar el puerto de la Furka.

En las rocas soleadas que preceden al glaciar del Ródano,

en la vertical de los séracs y de los innumerables turistas, negocio las migajas de una térmica. Un colega menos afortunado, o menos cabezota, pone los pies en polvorosa perdiendo un máximo de altura. Yo insisto, gano cien metros, atravieso el glaciar con la esperanza de encontrar una ascendencia por encima de los coches alineados en el parking. La chapa restituye el calor y genera térmicas mejor que el alquitrán y la piedra. Esta térmica no es muy fuerte, pero me permite dominar ligeramente el puerto.

¿Pasaré, no pasaré?

La respuesta no tarda, un viento de cara, proveniente del puerto, me cierra el paso. Para evitar aterrizar en el fondo de un agujero, tomo inmediatamente a la altura del puerto, a dos mil cuatrocientos metros. En otras circunstancias, más concentrado, hubiera pasado.

Todavía es pronto. No me resigno a esta situación y decido subir los trescientos metros necesarios para salir de nuevo al aire.

En mi cabeza corretean los acontecimientos del día anterior, las entrevistas, las fotos, las emisiones de radio, salario del fanfarrón.

En el minúsculo tramo de carretera que tengo que recorrer, la densa circulación me contraría. De un coche aparece Claude, un amigo perdido de vista. Me invita a tomar algo en el bar del puerto. Dividido entre la preocupación por no desairar a un amigo y la urgencia por despegar, dudo, rechazo y acabo aceptando. Entre que pedimos y que nos sirven, me escapo un momento a llevar el ala algunos metros más arriba, indeciso, incoherente. Claude ha oído la radio, ha leído los periódicos; me felicita entusiasmado por mi hazaña. Al acecho de los cumplidos, mis demonios resurgen. El competidor triunfa. El fanfarrón saca pecho.

En menos de dos días he olvidado la simplicidad y el espíritu del vuelo vivac. El vagabundo, poco propenso a pelear, se ha echado a un lado.

Alzo al fin mi material trescientos metros más arriba, pero el esfuerzo es demasiado pequeño para devolverme a la humildad.

Antes de cada despegue, normalmente, hago una pequeña sesión de concentración para anticipar el vuelo y afinar mi condición psíquica. Demasiado atolondrado, me salto los preliminares, rompiendo con el ritual que coordina cada uno de los gestos de la salida. Con las prisas, no me pongo los guantes, ni las gafas, ni un pantalón encima de los shorts. Todo desaparece en desorden en un bolsillo.

Mi mente está en todas partes, menos donde debería estar.

Tomo el ala por los montantes y me lanzo con todas mis fuerzas. Un, dos, tres, cuatro pasos, al quinto estoy en el aire.

Necesito una décima de segundo para saber que no voy unido a mi ala. He olvidado enganchar el mosquetón del arnés a la cinta del ala. Estoy en el vacío, aguantándome con los brazos. El ala, desequilibrada, apunta con el morro hacia las rocas, diez metros más abajo.

Sólo puedo hacer una cosa: soltarme.

Caigo como una saca de correos lanzada a toda velocidad

desde un avión postal. Aterrizo pesadamente en una minúscula parcela de hierba, providencial en medio de las piedras. El contacto es violento, reboto como una pelota antes de inmovilizarme completamente.

Unos segundos más tarde, a medias inconsciente, veo el ala.

Vuela sola.

Su equilibrio es perfecto, su línea recta. Serena bajo el impulso de una térmica, inicia círculos regulares como a menudo hacíamos juntos.

- "¡No! ¡Regresa! ¡Es demasiado estúpido!"

Lloro. Ella gira, gira, gira durante un largo instante; luego, silenciosa, la pierdo de vista tras las crestas rocosas.

Sólo entonces me doy cuenta de la magnitud de la catástrofe y de mi suerte. Un fuerte dolor en el brazo derecho me indica, sin equivocación posible, que me lo he roto. Lo inmovilizo en bandolera y aprovecho que todavía está caliente para quitarme el arnés. He de darme prisa y buscar ayuda.

Dejo mis cosas bien a la vista, entre las cuales el paracaídas que se ha abierto en la caída, y desciendo hacia el puerto con paso incierto. Todavía estoy ido, contusionado un poco por todas partes, pero aparte de este brazo hecho papilla parece que no tengo nada grave.

Algunos paseantes han visto las últimas vueltas del ala y vienen a mi encuentro. Visiblemente impresionados, me llevan a unos cuarteles militares. Rechazo su ayuda para franquear los últimos metros, pero apenas me siento en una silla, relajado de toda tensión, pierdo el conocimiento.

Dos veces a lo largo del viaje soñé que me subía a un coche, incumpliendo irremediablemente las reglas del vuelo vivac. Al despertar, creo salir de una de esas horribles pesadillas.

Pero los glaciares están apagados, la estrella de Aletsch ya no brilla, Kühboden y Fietsch se esconden bajo la carlinga. En las vibraciones y el ruido de los rotores, un helicóptero me lleva al hospital de Brig. Es una pesadilla pero no estoy soñando.

Imperdonable error. En Fiesch, he dejado que mis demonios se hicieran por una vez con la barra de control; pero una vez es demasiado. Queriéndolo todo al mismo tiempo, ser y parecer, he ahuyentado, definitivamente, el espíritu del vagabundo, poco propenso a imponerse por la fuerza. Olvidar engancharse al ala no es un accidente de vuelo. Es el resultado de un desacuerdo profundo, de una desunión entre el espíritu y el acto.

Con el vuelo vivac, buscaba kilómetros, encontré una filosofía. Es exigente, lo comprendí en medio de un gran estruendo.

El vagabundo regresará porque el competidor ha muerto. El fanfarrón yace con su sombra al pie de un pequeño cortado en las alturas de la Furka.

FIN

Con el apoyo del príncipe Alberto de Mónaco, quien le entrega una carta destinada a los pastores, Didier Favre pone en evidencia el papel ecológico de estos pobladores de los Alpes, verdaderos jardineros de las montañas.

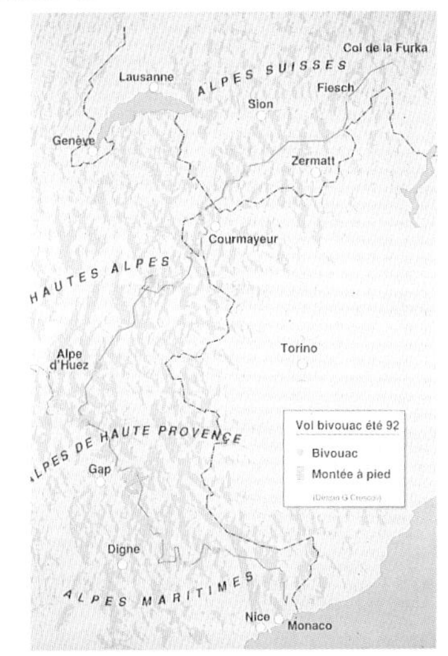

Sus vuelos de verano del 92. Los vivacs y los tramos recorridos a pie.

PRINCIPAUTÉ DE MONACO
MONTE-CARLO
YOUGOSLAVIE
1222 KM
(1er nuage à gauche)

ACTIONS
ECOLOGIQUES

A veces, te llevas sorpresas por la presencia de una compañía inesperada.

El vuelo vivac está lleno de curiosos instantes y largos silencios, los juegos con una curiosa marmota, el alba sobre las brumas de las frescas brisas mediterráneas o un cálido descanso entre el heno.

Las dos caras del vuelo vivac, el placer de planear sobre escenarios increibles (foto superior con el macizo del Mont Blanc detrás), y la dureza de andar con el ala a cuestas.

Al mal tiempo, Didier le pone buena cara. ¿Quién podía esperar una nevada el 9 de julio, recién comenzado su CAP en los Alpes Marítimos?.

Pastores que acogieron siempre con los brazos abiertos a este hombre venido del cielo para romper su soledad.

La gran aventura de Didier Favre es su propia vida. Dedicada a un bello objetivo, hacer del *Vagabundo de los Aires* una realidad que inspire a los amantes del vuelo libre y estimule a quienes todavía viven de espaldas a la naturaleza a pensar en la montaña y sus gentes como en algo mucho más cercano y vivo. Los próximos retos que se ha planteado, la travesía integral de los Alpes, desde Mónaco hasta Eslovenia (realizada con éxito en el verano de 1.993), cruzar los Pirineos en vuelo vivac y, ¿por qué no?, los Andes o el Himalaya, vendrán acompañados de sabrosos relatos en futuros libros.

Mario Arqué Domingo
Editorial Perfils